365 menus, recettes et variantes

Thomas Feller

hachette
CUISINE

Sommaire

Introduction

Voici votre nouvel outil multifonction de cuisine.
Nous préparons en moyenne une dizaine de repas par semaine (5 repas pour
le soir et 4 pour le week-end). *365 menus, recettes et variantes* se propose
donc de vous aider à varier les menus et les plaisirs en vous apportant plus
de 100 recettes composées, en majorité, avec une variante qui apporte
un vrai changement par rapport à son plat d'origine, un conseil qui vous
oriente dans la réalisation du menu, le choix du produit et une idée
de menu équilibré en accord avec la recette.

Organisées en cinq parties (Tartes, pizzas, quiches et soupes - Salades -
Viandes et poissons - Légumes et féculents – Desserts), toutes les recettes
sont prévues pour quatre personnes. Elles sont accessibles même pour
un débutant et ont la prétention de ne pas être trop chères à réaliser.
Les variantes et les conseils, vous permettent sur la même base de salade,
de tarte, de plat ou de dessert de créer une nouvelle recette ou, pourquoi
pas, de vous donner encore d'autres idées de réalisation en fonction
de votre goût, des saisons, du budget ou de l'occasion.
Les idées de menu équilibré ne sont que des orientations et peuvent vous
apporter des suggestions pour des repas sains et complets en terme de fruits
et légumes, de produits laitiers... Ce livre est un petit outil destiné à vous
faciliter la vie et à la simplifier.

En fin d'ouvrage, vous trouverez une boîte à outils pour vous aider au quotidien.

Pour commencer, quelques recettes basiques (sauces, pâtes, vinaigrettes...) et une vingtaine de menus thématiques (anniversaire, marocain, en famille, tout cru, made in USA...) inspirés des recettes de ce livre.

Pour vous aider dans vos achats, vous trouverez un tableau saisonnier des fruits et légumes qui vous permettra d'adapter vos menus aux saisons et aux mois.

Vous y trouverez par ailleurs des équivalences de thermostats et de températures avec l'utilisation idéale de chacune (pour cuire des légumes, des viandes, pour réchauffer...).

Ensuite, viennent toutes les astuces pour mesurer et peser sans matériel, juste avec ce que l'on a sous la main !

Enfin, toujours dans l'esprit du petit outil pratique, une journée type de menus est proposée avec les grammages et la composition de quatre repas (petit-déjeuner, déjeuner, goûter et dîner) ainsi que des conseils.

Ce ne sont que des indications et des idées pour vous aider à avoir une alimentation variée et équilibrée. Il n'existe qu'une seule règle : de la mesure en toutes choses !

Alors, faites un peu de place dans votre cuisine entre les casseroles et les poêles afin de pouvoir y ranger votre nouvel outil. Bonne cuisine et bon appétit. Avec gourmandise !

POUR 4 PERSONNES
PRÉPARATION : 20 MIN
CUISSON : 40 MIN
DIFFICULTÉ : FACILE
COÛT : BON MARCHÉ

Tarte à la tomate et au comté

- *1 pâte brisée*
  (voir recette p. 169)
- *8 tomates allongées*
- *1 cuil. à café de moutarde*
  forte
- *50 g de comté*
- *2 cuil. à soupe d'huile*
  d'olive
- *Sel, poivre*

■ Étalez la pâte sur une épaisseur de 2 à 3 mm et disposez-la dans un plat à tarte beurré. Couvrez de papier sulfurisé et de 1 kg de haricots secs. Enfournez à 200 °C (th. 6-7) 10 min puis retirez le papier et poursuivez la cuisson 10 min afin d'avoir une pâte cuite et dorée.

■ Plongez les tomates 1 min dans l'eau bouillante puis épluchez-les. Coupez-les en grosses tranches. Étalez la moutarde sur la pâte et disposez en rosace les tomates. Arrosez d'huile d'olive, salez, poivrez et ajoutez le comté râpé. Enfournez 20 min et servez chaud.

VARIANTE : Remplacez le comté par des petits cubes de chèvre sec et des pignons de pin.

CONSEIL : Que vous fassiez vous-même la pâte ou que vous en achetiez une, faites-la précuire car les tomates perdent tellement d'eau que si la pâte n'est pas cuite avant les tomates, elle ne le sera jamais après.

UNE IDÉE DE MENU ÉQUILIBRÉ

Tarte à la tomate et au comté, une salade de mâche et un laitage maigre pas trop sucré.

POUR 4 PERSONNES
PRÉPARATION : 20 MIN
CUISSON : 1 H
DIFFICULTÉ : FACILE
COÛT : BON MARCHÉ

Tarte à la carotte et aux poivrons

- *1 pâte brisée (voir recette p. 169)*
- *4 carottes*
- *3 poivrons rouges et verts*
- *2 œufs*
- *30 cl de lait frais*
- *50 g de chèvre frais*
- *1 pincée de piment d'Espelette*
- *1 pincée de muscade en poudre*
- *2 cuil. à soupe d'huile d'olive*
- *Sel, poivre*

▥ Étalez la pâte sur une épaisseur de 2 à 3 mm et disposez-la dans un plat à tarte beurré. Couvrez de papier sulfurisé et de 1 kg de haricots secs. Enfournez à 200 °C (th. 6-7) 10 min, retirez le papier et poursuivez la cuisson 10 min.

▥ Épluchez et coupez en rondelles les carottes. Retirez le trognon des poivrons, coupez-les en deux, ôtez les graines et les membranes et coupez-les finement. Cuisez les légumes dans une petite casserole avec l'huile d'olive à couvert 15 min. Assaisonnez et retirez l'eau si besoin. Mélangez les œufs avec le lait, le chèvre, du sel, du poivre, le piment et la muscade.

▥ Mettez les légumes sur la tarte, versez la préparation et enfournez 25 min. Le dessus de la tarte doit gratiner. Servez chaud.

VARIANTES : Faites une tarte à la carotte et champignons de Paris et utilisez plutôt du parmesan que du chèvre.

UNE IDÉE DE MENU ÉQUILIBRÉ

La tarte, une salade de pousses d'épinards au jambon cru et une salade de fruits.

POUR 4 PERSONNES
PRÉPARATION : 20 MIN
CUISSON : 1 H
DIFFICULTÉ : FACILE
COÛT : BON MARCHÉ

Tarte aux champignons, échalotes et ciboulette

- 1 pâte brisée
  (voir recette p. 169)
- 8 échalotes
- 500 g de champignons
  de Paris
- 1/2 botte de ciboulette
- 25 g de beurre
- 2 œufs
- 30 cl de lait frais
- 50 g de comté râpé
- 1 pincée de muscade
- 2 cuil. à soupe
  d'huile d'olive
- Sel, poivre

▧ Étalez la pâte sur une épaisseur de 2 à 3 mm et disposez-la dans un plat à tarte beurré. Couvrez de papier sulfurisé et de 1 kg de haricots secs. Enfournez à 200 °C (th. 6-7) 10 min, retirez le papier et poursuivez la cuisson 10 min pour dorer la pâte.

▧ Épluchez et coupez en quarts les échalotes. Nettoyez, retirez le pied des champignons et coupez-les en quatre. Coupez la ciboulette en gros tronçons. Dans une poêle sur feu moyen, faites cuire les champignons et les échalotes avec le beurre et l'huile, 10 à 15 min en remuant souvent. Assaisonnez.

▧ Mélangez les œufs avec le lait, le comté, la ciboulette, du sel, du poivre et la muscade. Mettez les légumes sur la tarte, versez la préparation et enfournez 25 min. Le dessus de la tarte doit gratiner. Servez chaud.

VARIANTE : Faites une tarte uniquement aux champignons en utilisant les mélanges de champignons sauvages que l'on trouve dans les magasins de produits surgelés.

UNE IDÉE DE MENU ÉQUILIBRÉ

La tarte, une salade verte, des carottes râpées, des tomates cerise et une compote de fruits.

POUR 4 PERSONNES
PRÉPARATION : 20 MIN
CUISSON : 1 H
DIFFICULTÉ : FACILE
COÛT : BON MARCHÉ

Tarte au bleu et échalotes confites

- 1 pâte brisée
  (voir recette p. 169)
- 500 g d'échalotes
- 25 g de beurre
- 2 œufs
- 30 cl de lait frais
- 75 g de fromage bleu
- 1/2 botte de cerfeuil
- 1 pincée de muscade
  en poudre
- 2 cuil. à soupe d'huile
  d'olive
- Sel, poivre

▓ Étalez la pâte sur une épaisseur de 2 à 3 mm et disposez-la dans un plat à tarte beurré. Couvrez de papier sulfurisé et de 1 kg de haricots secs. Enfournez à 200 °C (th. 6-7) 10 min puis retirez le papier et poursuivez la cuisson 10 min afin d'avoir une pâte cuite et dorée.

▓ Épluchez les échalotes et coupez la base. Dans une poêle sur feu moyen, faites cuire les échalotes avec le beurre et l'huile, 10 à 15 min à couvert, en remuant souvent. N'oubliez pas d'assaisonner. La pointe d'un couteau doit pouvoir s'enfoncer sans résistance dans les échalotes.

▓ Mélangez les œufs avec le lait, le fromage émietté, le cerfeuil haché, du sel, du poivre et la muscade. Mettez les légumes sur la tarte, versez la préparation et enfournez 25 min. Le dessus de la tarte doit commencer à gratiner. Servez chaud.

VARIANTE : Remplacez le bleu par un comté et ajoutez des lardons que vous ferez griller en même temps que les échalotes.

UNE IDÉE DE MENU ÉQUILIBRÉ

La tarte, une salade aux lardons et une salade de fruits frais de saison.

POUR 4 PERSONNES
PRÉPARATION : 15 MIN
CUISSON : 20 MIN
DIFFICULTÉ : FACILE
COÛT : BON MARCHÉ

Foccacia aux *antipasti*

- 1 pâte à pizza
(voir recette p. 170)
- 250 g d'antipasti
(tomates confites,
artichauts à l'huile,
aubergines grillées,
courgettes marinées…)
- 100 g de roquette
- 4 tranches de jambon
cru italien
- 2 pincées d'origan
ou de fleur de thym
- Poivre du moulin

▥ Étalez la pâte sur une épaisseur d'un demi-centimètre. Si vous le pouvez, donnez-lui une forme carrée ou rectangulaire. Disposez cette *foccacia* sur une plaque allant au four et garnie de papier sulfurisé. Faites des empreintes dessus avec les doigts.

▥ Égouttez rapidement les *antipasti* et répartissez-les sur la pâte. Enfournez la *foccacia* 15 à 20 min à 200° C (th. 6-7). Il faut que la pâte dore et gonfle. Sortez du four, puis répartissez la roquette et couvrez cette dernière avec le jambon cru. Poivrez, saupoudrez d'origan et servez aussitôt.

VARIANTES : On peut faire des *foccacias* à tout : anchois marinés et tomates cerise, jambon cru et pointes d'asperges vertes cuites, rondelles d'olives, d'oignons et de tomates, ratatouille égouttée…

CONSEIL : Meilleurs seront vos *antipasti*, meilleure sera la *foccacia*. Ce sera d'autant plus vrai si vous réalisez vous-même la pâte.

UNE IDÉE DE MENU ÉQUILIBRÉ

Foccacia aux *antipasti*, des fruits frais et un laitage.

POUR 4 PERSONNES
PRÉPARATION : 20 MIN
CUISSON : 1 H
DIFFICULTÉ : FACILE
COÛT : BON MARCHÉ

Tarte à la courgette, menthe et feta

- *1 pâte brisée*
  (voir recette p. 169)
- *1 kg de courgettes*
- *2 gousses d'ail*
- *25 g de beurre*
- *2 œufs*
- *1/4 de botte de menthe*
- *30 cl de lait frais*
- *80 g de feta coupés*
  en cubes
- *1 pincée de muscade*
  en poudre
- *2 cuil. à soupe d'huile*
  d'olive
- *Sel, poivre*

▓ Étalez la pâte sur une épaisseur de 2 à 3 mm et disposez-la dans un plat à tarte beurré. Couvrez de papier sulfurisé et de 1 kg de haricots secs. Enfournez à 200 °C (th. 6-7) 10 min, retirez le papier et poursuivez la cuisson 10 min pour dorer la pâte.

▓ Retirez les extrémités des courgettes, coupez-les en deux dans le sens de la longueur et retirez les graines avec une cuillère. Émincez les courgettes en demi-rondelles d'un demi-centimètre d'épaisseur. Dans une poêle sur feu moyen, faites cuire les courgettes et l'ail haché avec le beurre et l'huile, 10 à 15 min, en remuant souvent. Assaisonnez.

▓ Mélangez les œufs avec la menthe hachée, le lait, du sel, du poivre et la muscade. Mettez les légumes sur la tarte, versez la préparation, saupoudrez de feta et enfournez 25 min. La tarte doit gratiner.

VARIANTE : Des rondelles de concombre, un peu de piment en poudre et du chèvre sec râpé.

UNE IDÉE DE MENU ÉQUILIBRÉ

La tarte, une salade de concombres au yaourt et des fruits cuits ou crus.

POUR 4 PERSONNES
PRÉPARATION : 20 MIN
CUISSON : 50 MIN
DIFFICULTÉ : FACILE
COÛT : BON MARCHÉ

Tarte aux asperges

- *1 pâte brisée
  (voir recette p. 169)*
- *300 g de têtes d'asperges
  vertes*
- *2 œufs*
- *30 cl de lait frais*
- *50 g de parmesan râpé*
- *1 pincée de muscade
  en poudre*
- *Sel, poivre*

▥ Étalez la pâte sur une épaisseur de 2 à 3 mm et disposez-la dans un plat à tarte. Couvrez de papier sulfurisé et de 1 kg de haricots secs. Enfournez à 200 °C (th. 6-7) 10 min puis retirez le papier et poursuivez la cuisson 10 min afin d'avoir une pâte cuite et dorée.

▥ Dans une casserole remplie d'eau bouillante salée, faites cuire les têtes d'asperges 5 à 7 min (la pointe d'un couteau doit pouvoir s'y enfoncer sans résistance). Égouttez-les et essorez-les bien. Mélangez les œufs avec le lait, le fromage râpé, du sel, du poivre et la muscade. Mettez les asperges sur la tarte, versez la préparation et enfournez 25 min. Le dessus de la tarte doit être gratiné. Servez chaud.

VARIANTES : Vous pouvez ajouter dans la recette des petits morceaux de jambon cru ou vous pouvez aussi utiliser des asperges blanches ou violettes.

CONSEIL : Il vaut mieux utiliser des asperges crues (fraîches ou surgelées) que des asperges en boite qui sont déjà très cuites et qui n'auront aucun croquant dans la tarte.

UNE IDÉE DE MENU ÉQUILIBRÉ

La tarte aux asperges, une salade d'endives au jambon cru et des poires au sirop.

POUR 4 PERSONNES
PRÉPARATION : 15 MIN
CUISSON : 20 MIN
DIFFICULTÉ : FACILE
COÛT : BON MARCHÉ

Pizza à la roquette et jambon cru

- *1 pâte à pizza*
  (voir recette p. 170)
- *1 boule de mozzarella*
  di buffala
- *250 g de sauce tomate*
  (voir recette p. 176)
- *100 g de roquette*
- *4 tranches de jambon cru*
  italien
- *Poivre du moulin*

▓ Étalez la pâte sur une épaisseur d'un demi-centimètre. Disposez la pizza sur une plaque allant au four et garnie de papier sulfurisé. Faites des empreintes dessus avec les doigts.

▓ Égouttez rapidement la mozzarella puis, coupez-la en petit dés. Étalez la sauce tomate sur la pâte et saupoudrez de mozzarella. Poivrez et enfournez la pizza 15 à 20 min à 200° C (th. 6-7). Il faut que la pâte dore et gonfle. Sortez du four puis répartissez la roquette et couvrez cette dernière avec le jambon cru. Poivrez et servez aussitôt.

VARIANTE : Ajoutez des lamelles de champignons de Paris, des lardons grillés à la place du jambon et gardez la roquette.

CONSEIL : Essayez d'avoir une sauce tomate bien réduite et bien épaisse car la mozzarella en fondant va perdre de l'eau. Pour avoir une pizza goûteuse, choisissez de la vraie mozzarella *di buffala*.

UNE IDÉE DE MENU ÉQUILIBRÉ

La pizza, un laitage et un fruit cru ou cuit.

POUR 4 PERSONNES
PRÉPARATION : 20 MIN
CUISSON : 50 MIN
DIFFICULTÉ : FACILE
COÛT : BON MARCHÉ

Quiche lorraine

- 1 pâte brisée
  (voir recette p. 169)
- 250 g de lardons fumés
- 3 œufs
- 40 cl de lait frais
- 50 g de comté râpé
- 1 pincée de muscade
  en poudre
- Sel, poivre

▥ Étalez la pâte sur une épaisseur de 2 à 3 mm et disposez-la dans un plat à tarte beurré. Couvrez de papier sulfurisé et de 1 kg de haricots secs. Enfournez à 200 °C (th. 6-7) 10 min puis retirez le papier et poursuivez la cuisson 10 min afin d'avoir une pâte cuite et dorée.

▥ Faites griller les lardons dans une poêle sans matières grasses. Quand ils sont dorés, mettez-les dans un tamis pour ôter l'excès de gras. Mélangez les œufs avec le lait, le comté, du sel, du poivre et la muscade. Mettez les lardons sur la tarte, versez la préparation et enfournez 25 min. La tarte doit gratiner. Servez chaud.

VARIANTE : Remplacez les lardons par des petits morceaux de jambon cru sans matières grasses.

CONSEIL : Si vous ne trouvez que des lardons nature ou salés, mettez-les dans une casserole d'eau froide et faites bouillir pour les dessaler. Égouttez-les et faites-les griller avec un peu de matières grasses.

UNE IDÉE DE MENU ÉQUILIBRÉ

La quiche, une salade de haricots verts avec une vinaigrette au yaourt, un fruit cru ou cuit.

POUR 4 PERSONNES
PRÉPARATION : 20 MIN
CUISSON : 40 MIN
DIFFICULTÉ : FACILE
COÛT : BON MARCHÉ

Tarte Tatin
aux tomates

– 1 pâte brisée
(voir recette p. 169)
– 8 tomates allongées roma
– 50 g de sucre
– 1 branche de romarin
– 2 cuil. à soupe d'huile
d'olive
– Sel, poivre

▓ Coupez les tomates en deux dans le sens de la longueur et retirez les graines. Dans un plat à tarte pouvant aller sur le feu, versez le sucre et mettez-le sur le feu pour faire un caramel. Répartissez-le sur la surface du plat. Salez, poivrez, mettez le romarin au centre et répartissez en rosace les tomates sur le plat, côté bombé vers le fond. Arrosez d'huile d'olive. Enfournez 20 min à 200 °C (th. 6-7).

▓ Étalez la pâte sur une épaisseur de 2 à 3 mm et disposez-la dans le plat à tarte par-dessus les tomates. Enfournez à nouveau 20 min en posant une grille sur la pâte pour éviter qu'elle ne lève. Sortez du four, retournez la tarte sur un plat et servez.

VARIANTES : Vous pouvez utiliser de la pâte feuilletée ou remplacer les tomates par des échalotes.

CONSEIL : Vous pouvez éplucher les tomates, ce sera meilleur mais, dans ce cas, prenez un moule à tarte antiadhésif pour éviter qu'elles n'accrochent.

UNE IDÉE DE MENU ÉQUILIBRÉ

La tarte accompagnée de ratatouille froide, d'une salade verte et d'un laitage maigre.

POUR 4 PERSONNES
PRÉPARATION : 10 MIN
CUISSON : 7 MIN
DIFFICULTÉ : FACILE
COÛT : BON MARCHÉ

Omelette au jambon et au fromage

- *8 œufs extra-frais*
- *3 tranches de jambon blanc*
- *50 g de comté râpé*
- *1 petit verre de lait frais entier*
- *1 noix de beurre*
- *2 cuil. à soupe d'huile végétale*
- *Sel, poivre*

▥ Coupez le jambon en petits dés et râpez finement le fromage. Dans un bol, cassez les œufs et fouettez-les assez longuement avec le lait, le sel et le poivre. Ajoutez alors le jambon et le fromage.

▥ Dans une grande poêle, faites fondre le beurre avec l'huile. Lorsque la poêle est bien chaude, versez les œufs puis laissez cuire 2 min avant de commencer, à l'aide d'une fourchette, à ramener les bords de l'omelette vers le centre. Continuez ainsi quelques minutes si vous désirez une omelette baveuse. Si vous préférez une omelette bien cuite, laissez cuire à feu doux et à couvert 5 min.

VARIANTES : Pensez aussi à une omelette aux fines herbes (cerfeuil, ciboulette, estragon, persil plat…), une omelette paysanne (lardons, rondelles d'oignons et de pommes de terre cuites à la poêle), une omelette aux champignons (cuits à l'huile d'olive avec des échalotes), une omelette toute simple avec de la ratatouille froide et égouttée…

CONSEIL : Vous pouvez remplacer le lait par de la crème, ce ne sera que meilleur.

UNE IDÉE DE MENU ÉQUILIBRÉ

L'omelette, une salade de jeunes pousses et des fruits.

Soufflé au comté

POUR 4 PERSONNES
PRÉPARATION : 20 MIN
CUISSON : 30 MIN
DIFFICULTÉ : FACILE
COÛT : BON MARCHÉ

- *60 g de comté (si possible affiné plus de 12 mois)*
- *5 œufs*
- *30 g de beurre*
  + 15 g pour les moules
- *30 g de farine*
  + 15 g pour les moules
- *25 cl de lait frais entier*
- *Noix muscade fraîchement râpée*
- *Sel, poivre*

▓ Préchauffez le four à 190 °C (th. 6-7). Beurrez et farinez des moules à soufflé. Retirez l'excédent de farine en tapotant les moules à l'envers et gardez au réfrigérateur. Râpez le comté. Séparez les blancs des jaunes d'œufs.

▓ Faites fondre le beurre avec la farine et laissez cuire 1 à 2 min pour dorer le mélange. Laissez refroidir hors du feu. Versez le lait bouillant sur le mélange. Remettez le tout à cuire et faites bouillir 2 à 3 min pour épaissir. Coupez le feu, assaisonnez et ajoutez la muscade et le comté. Rajoutez 2 jaunes d'œufs.

▓ Montez les blancs en neige très ferme avec 1 pincée de sel. Ajoutez les jaunes d'œufs restants. Prélevez un quart de cette préparation et mélangez-la avec la béchamel obtenue précédemment. Mélangez délicatement le reste des blancs d'œufs.

▓ Versez dans les moules jusqu'à 1 cm du bord. Lissez la surface et enfournez 20 min. Les soufflés doivent gonfler et dorer. Sortez-les et servez aussitôt.

UNE IDÉE DE MENU ÉQUILIBRÉ

Le soufflé, une salade de mâche et des noisettes et des bananes flambées (voir recette p. 146).

POUR 4 PERSONNES
PRÉPARATION : 10 MIN
CUISSON : 15 MIN
DIFFICULTÉ : FACILE
COÛT : BON MARCHÉ

Œufs cocotte au fromage

- 8 œufs extra-frais
- 40 g de beurre
- 30 cl de crème fraîche épaisse
- 80 g de comté
- 2 pincées de noix muscade
- Sel, poivre

▦ Beurrez généreusement huit ramequins. Dans une casserole, mettez la crème fraîche et faites-la chauffer sur feu moyen. Ajoutez le sel, le poivre et la noix muscade. Râpez le fromage.

▦ Répartissez 1 cuil. à café de crème dans chaque ramequin. Cassez par-dessus 1 œuf, salez, poivrez, mettez un peu de fromage râpé puis recouvrez du reste de crème fraîche. Disposez vos ramequins dans un plat allant au four, rempli à moitié d'eau bouillante et enfournez à 180 °C (th. 6) 10 min. Sortez le plat du four et servez aussitôt.

VARIANTES : Vous pouvez adapter cette recette en ajoutant dans la crème des herbes fraîches hachées (estragon, ciboulette ou cerfeuil), des champignons de Paris coupés en fines tranches et cuits au beurre, des épices (du curry, du colombo ou du tandoori), de la ratatouille, des œufs de saumon, des lardons...

CONSEIL : Si vous le pouvez, achetez de la noix muscade entière que vous râperez juste avant de l'utiliser.

UNE IDÉE DE MENU ÉQUILIBRÉ

Les œufs cocotte avec un peu de pain grillé, des crudités et un laitage.

POUR 4 PERSONNES
PRÉPARATION : 20 MIN
CUISSON : 40 MIN
DIFFICULTÉ : FACILE
COÛT : BON MARCHÉ

Cake à la fleur de thym et tomates confites

- *2 œufs entiers*
- *1 cuil. à café de fleur de thym frais (idéalement)*
- *4 cuil. à soupe de lait*
- *140 g de farine*
- *1 sachet de levure*
- *150 g de tomates confites*
- *10 g de beurre pour le moule*
- *5 cuil. à soupe d'huile d'olive*
- *Sel, poivre noir*

▓ Dans un saladier, cassez les œufs et battez-les 1 à 2 min. Ajoutez-y 1 pincée de sel, 1 pincée de poivre, le thym, l'huile et le lait. Ajoutez la farine tamisée et la levure afin d'éviter les grumeaux. Terminez avec les tomates confites.

▓ Beurrez un moule à cake et versez-y la préparation. Enfournez à 190 °C (th. 6-7) 40 min. Sortez le cake du four (assurez-vous qu'il est bien cuit en y plantant la pointe d'un couteau pour vérifier que rien n'accroche sur la lame) et mettez-le sur une grille.

VARIANTES : La base de ce cake peut être utilisée pour d'autres garnitures : roquefort et noix, jambon cru et figues séchées, olives et coppa…

CONSEIL : Il vaut mieux toujours faire tiédir les gâteaux sur une grille afin que l'excédent d'humidité puisse s'échapper et qu'ils soient ainsi plus croustillants.

UNE IDÉE DE MENU ÉQUILIBRÉ

Le cake, des légumes crus ou cuits et assaisonnés avec peu de matières grasses, un laitage et des fruits crus sans ajout de sucre.

POUR 4 PERSONNES
PRÉPARATION : 30 MIN
CUISSON : 3 H
DIFFICULTÉ : FACILE
COÛT : BON MARCHÉ

Soupe vietnamienne au bœuf cru

- *2 os de bœuf*
- *750 g de plat de côte de bœuf*
- *300 g de rumsteck*
- *5 cm de gingembre*
- *3 échalotes*
- *2 anis étoilé*
- *1 bâton de cannelle*
- *2 gousses de cardamome noire*
- *1 piment rouge*
- *10 brins de menthe*
- *1 botte de coriandre*
- *1 botte de ciboulette*
- *400 g de nouilles de riz*
- *Nuoc-mâm*
- *Poivre*

▨ Épluchez le gingembre et les échalotes. Dans une grande cocotte, mettez les os et le plat de côte, les épices, le gingembre, les échalotes et le piment. Couvrez largement d'eau froide. Portez à ébullition en ôtant l'écume grise qui se forme et laissez cuire à petits bouillons 3 h. Filtrez, poivrez et arrosez de nuoc-mâm.

▨ Effeuillez et coupez la menthe en lamelles. Effeuillez la coriandre. Hachez la ciboulette. Dans une casserole d'eau bouillante salée, faites cuire les nouilles 2 min. Dans de grands bols, répartissez les nouilles, saupoudrez d'herbes, recouvrez de bouillon bouillant et ajoutez des lamelles de rumsteck cru.

VARIANTES : Remplacez le bœuf par du poulet ou du poisson.

CONSEIL : Faites vous-même le bouillon ou prenez un bouillon de bœuf de qualité supérieure.

UNE IDÉE DE MENU ÉQUILIBRÉ

La soupe, un laitage et un fruit.

POUR 4 PERSONNES
PRÉPARATION : 15 MIN
DIFFICULTÉ : FACILE
COÛT : BON MARCHÉ

Soupe de tomates au safran

- 1 mini-concombre
- 1/2 poivron rouge
- 2 tranches de pain de campagne rassis
- 1 oignon rouge
- 800 g de tomates cœur de bœuf
- 1 dose de safran en poudre
- 4 œufs durs
- 3 cuil. à soupe de vinaigre de xérès
- 10 cl d'huile d'olive
- Sel, poivre

▨ Épluchez le concombre, coupez-le en quatre, retirez les graines et découpez-le en morceaux. Épépinez le demi-poivron. Dans le bol d'un mixeur, concassez le pain et arrosez-le d'huile d'olive et de vinaigre de xérès. Épluchez et coupez le plus finement possible en rondelles l'oignon rouge.

▨ Plongez les tomates 1 min dans l'eau bouillante puis, pelez-les avant de les couper en gros morceaux et de les mettre dans le mixeur. Ajoutez le demi-poivron et le concombre. Mixez 2 à 3 min afin d'obtenir une soupe bien lisse. Vérifiez l'assaisonnement, ajoutez le safran et, si elle est trop épaisse, ajoutez-y un peu d'eau. Gardez au frais. Écalez les œufs et hachez-les grossièrement. Dans des assiettes creuses, répartissez la soupe, saupoudrez d'œufs durs hachés et de rondelles d'oignon.

VARIANTE : Retirez les tomates et le poivron et remplacez par de l'avocat.

CONSEIL : C'est une soupe qui se fait l'été lorsque l'on trouve les meilleures tomates.

UNE IDÉE DE MENU ÉQUILIBRÉ

La soupe, du pain grillé et un peu de fromage de chèvre sec, un fromage blanc au coulis de fruits ou à la salade de fruits.

POUR 4 PERSONNES
PRÉPARATION : 20 MIN
CUISSON : 15 MIN
DIFFICULTÉ : FACILE
COÛT : BON MARCHÉ

Velouté de courgettes aux miettes de chèvre

- *1 kg de courgettes*
- *2 oignons*
- *1 bouquet de cerfeuil*
- *50 g d'olives noires à la grecque dénoyautées*
- *2 fromages de chèvre sec (type crottin de Chavignol ou rocamadour)*
- *1 tablette de bouillon de volaille*
- *2 cuil. à soupe de crème fraîche épaisse entière*
- *2 cuil. à soupe d'huile d'olive*
- *Quelques feuilles de menthe*
- *Sel, poivre*

▥ Épluchez les courgettes, coupez-les en quatre et retirez les graines. Épluchez les oignons et hachez-les. Effeuillez le cerfeuil. Hachez les olives en gros morceaux, passez-les sous l'eau froide et égouttez-les. Coupez les fromages de chèvre en petits morceaux.

▥ Dans une casserole, chauffez l'huile d'olive. Versez les oignons et les courgettes. Enrobez bien d'huile et cuisez 5 min. Couvrez d'eau froide et ajoutez la tablette de bouillon. Faites bouillir et laissez sur le feu quelques minutes. Les légumes sont juste cuits.

▥ Ôtez du feu, ajoutez la crème et mixez longuement. Assaisonnez. Versez la soupe dans des bols et répartissez-y le fromage, le cerfeuil et les olives. Ajoutez quelques feuilles de menthe pour la décoration.

VARIANTES : Remplacez un peu d'eau par du lait de coco et le fromage et les olives par des lardons grillés.

CONSEIL : Ne faites pas trop cuire vos légumes, ils seront goûteux et bien verts.

UNE IDÉE DE MENU ÉQUILIBRÉ

Le velouté accompagné de pain grillé, une salade de tomates et une salade de fruits à la menthe.

POUR 4 PERSONNES
PRÉPARATION : 20 MIN
CUISSON : 35 MIN
DIFFICULTÉ : FACILE
COÛT : BON MARCHÉ

Soupe de potimarron aux éclats de bleu et noisettes

- *1 potimarron*
- *1 oignon*
- *1 gousse d'ail*
- *1 botte de ciboulette*
- *75 g de noisettes entières*
- *75 g de roquefort*
- *1 grosse noix de beurre*
- *Sel, poivre*

▨ Épluchez l'oignon, l'ail et le potimarron. Retirez les graines du potimarron et coupez-le en morceaux. Émincez l'ail et l'oignon. Hachez la ciboulette. Enfournez à 190 °C (th. 6-7) les noisettes sur une plaque 15 min. Mettez-les ensuite dans un tamis et mélangez bien afin de leur retirer leur peau, puis concassez-les sur une planche avec le fond d'une casserole.

▨ Dans une grande casserole, faites fondre le beurre. Ajoutez l'ail et l'oignon. Laissez cuire jusqu'à ce que l'oignon soit translucide. Ajoutez le potimarron, remuez et couvrez d'eau froide. Portez à ébullition et cuisez 20 min. Le potimarron doit être juste cuit.

▨ Mixez la soupe. Salez, poivrez et versez-la dans des bols. Saupoudrez de petits morceaux de roquefort et de noisettes.

VARIANTES : Remplacez les noisettes et le roquefort par des cerneaux de noix et des copeaux de vieux comté. Remplacez la ciboulette par du persil.

UNE IDÉE DE MENU ÉQUILIBRÉ

La soupe accompagnée de pain grillé, une salade d'endives et des poires.

POUR 4 PERSONNES
PRÉPARATION : 20 MIN
CUISSON : 30 MIN
DIFFICULTÉ : FACILE
COÛT : BON MARCHÉ

Soupe de légumes classique

- *3 carottes*
- *1 navet*
- *1 poireau*
- *1 branche de céleri*
- *1 grosse pomme de terre*
- *1 oignon*
- *2 gousses d'ail*
- *1 branche de thym*
- *3 feuilles de laurier*
- *1/2 botte de persil plat*
- *Sel, poivre*

▧ Épluchez et coupez les légumes, l'oignon et l'ail en gros morceaux. Dans un grand faitout, mettez la totalité des légumes, l'oignon, l'ail, le thym, le laurier, un peu de sel et de poivre. Couvrez généreusement d'eau et mettez sur le feu. Quand l'eau commence à bouillir, comptez 20 min de cuisson.

▧ À l'aide d'un mixeur plongeant ou d'un moulin à légumes muni d'une grille fine, passez la soupe après avoir retiré le thym et le laurier. Effeuillez et hachez grossièrement le persil, ajoutez-le à la soupe, vérifiez l'assaisonnement et servez bien chaud.

VARIANTES : Donnez plus de goût à la soupe en y ajoutant un morceau de lard ou un cube de bouillon de volaille ou de bœuf.

CONSEIL : Si vous aimez les soupes moulinées, suivez la recette. Si vous préférez garder des morceaux, coupez alors tous les légumes en petits morceaux et ne mixez pas. Pensez aussi à ajouter, en fin de cuisson, des germes de blé cuites à l'eau.

UNE IDÉE DE MENU ÉQUILIBRÉ

La soupe avec des tartines de pain de campagne grillées et beurrées, une laitue ou une salade frisée, du fromage et des fruits.

POUR 4 PERSONNES
PRÉPARATION : 30 MIN
CUISSON : 15 MIN
DIFFICULTÉ : FACILE
COÛT : RAISONNABLE

Soupe de crevettes à la citronnelle

- *12 grosses crevettes crues*
- *1 gousse d'ail épluchée*
- *2 échalotes*
- *3 feuilles de combava (en épiceries asiatiques)*
- *1 piment sec rouge*
- *1 branche de citronnelle*
- *6 champignons de Paris*
- *4 brins de coriandre*
- *4 brins de basilic thaïlandais (en épiceries asiatiques)*
- *Le jus de 2 citrons verts*
- *2 cuil. à soupe de sucre de palme (en épiceries asiatiques – à défaut de la cassonade)*
- *4 cuil. à soupe de nuoc-mâm*
- *5 cuil. à soupe d'huile végétale*
- *Sel, poivre*

▨ Dans le bol d'un mixeur, versez l'ail, les échalotes épluchées, les feuilles de combava, le piment et la citronnelle. Mixez longuement, si nécessaire, de façon à obtenir une pâte fine. Si le mélange a du mal à prendre, ajoutez un peu d'eau. Décortiquez les crevettes, coupez les champignons puis effeuillez la coriandre et le basilic.

▨ Dans une grande casserole, faites chauffer l'huile. Versez la pâte et laissez-la cuire 5 min en remuant souvent. Ajoutez alors le jus des citrons, le sucre de palme, le nuoc-mâm et 1 litre d'eau. Salez et poivrez, puis portez à ébullition. Baissez le feu, puis ajoutez les crevettes et les champignons. Laissez cuire 5 min. En fin de cuisson, ajoutez la coriandre et le basilic.

UNE IDÉE DE MENU ÉQUILIBRÉ

La soupe, un peu de fromage et de pain avec une salade et des fruits crus ou cuits.

POUR 4 PERSONNES
PRÉPARATION : 20 MIN
CUISSON : 30 MIN
DIFFICULTÉ : FACILE
COÛT : BON MARCHÉ

Soupe de carottes au lait de coco

- *1 botte de carottes*
- *20 cl de lait de coco*
- *2 gousses d'ail*
- *2 cm de gingembre frais*
- *1 grosse pomme de terre*
- *1 branche de citronnelle*
- *1 bouquet de coriandre fraîche*
- *Sel, poivre*

▦ Épluchez l'ail, le gingembre, la pomme de terre et les carottes. Coupez tous les légumes en gros morceaux. Mettez-les dans une grande cocotte avec la citronnelle, puis ajoutez le lait de coco et recouvrez d'eau. Salez et poivrez. Portez à ébullition et laissez cuire 30 min.

▦ À l'aide d'un mixeur plongeant ou d'un moulin à légumes muni d'une grille fine, passez la soupe. Effeuillez la coriandre et ajoutez-la à la soupe à la dernière minute.

VARIANTES : Remplacez la citronnelle, le gingembre, la coriandre et le lait de coco par du lait normal et du comté râpé. Épicez avec une pincée de curry.

CONSEIL : La citronnelle et le gingembre laissent des petits fils malgré le mixeur. N'hésitez donc pas à repasser la soupe au moulin à légumes muni d'une grille fine.

UNE IDÉE DE MENU ÉQUILIBRÉ

La soupe accompagnée de pain grillé et de charcuterie maigre (jambon, viande des Grisons...) ou de viande froide, une salade de mangues vertes avec une vinaigrette classique et 1 pincée de piment rouge en poudre et des fruits exotiques.

POUR 4 PERSONNES
PRÉPARATION : 15 MIN
DIFFICULTÉ : FACILE
COÛT : BON MARCHÉ

Salade de poulet rôti, avocats et pamplemousses

- *Les restes d'un poulet rôti*
- *2 pomelos roses*
- *2 avocats*
- *1 salade feuille de chêne rouge*
- *De la vinaigrette aux agrumes (voir recette p. 172)*
- *Sel, poivre*

▓ Lavez puis essorez la salade. À l'aide d'un petit couteau, épluchez les pomelos en retirant la peau et la membrane blanche. Vous ne devez conserver que la chair. Toujours à l'aide d'un couteau, retirez les quartiers.

▓ Dans un saladier, mettez la salade, répartissez les pomelos et le poulet rôti émietté. Coupez les avocats en deux, retirez le noyau puis, à l'aide d'une cuillère à soupe, enlevez la chair avant de la couper en petits dés. Mélangez-les avec la vinaigrette, salez, poivrez et arrosez la salade.

VARIANTES : Remplacez les pomelos et les avocats par du maïs et des tomates cerise. Le poulet rôti était tellement bon qu'il n'en reste plus ? Et bien, remplacez-le par des lardons, du bœuf froid, des dés de jambon…

CONSEIL : Utilisez bien sûr le jus des pomelos pour faire la vinaigrette. Pour cela, pressez le cœur des pomelos après en avoir retiré les segments.

UNE IDÉE DE MENU ÉQUILIBRÉ

La salade, du pain ou des galettes de maïs et un laitage en dessert.

POUR 4 PERSONNES
PRÉPARATION : 20 MIN
CUISSON : 10 MIN
DIFFICULTÉ : FACILE
COÛT : BON MARCHÉ

Mâche, haricots blancs, oignons doux et tomates cerise poêlées

– 1 petite boite de haricots blancs
– 200 g de mâche
– 1 oignon rouge
– 250 g de tomates cerise
– 1 pincée de fleur de thym
– 2 cuil. à soupe de vinaigre balsamique
– 6 cuil. à soupe d'huile d'olive
– Sel, poivre

▥ Égouttez et rincez sous l'eau froide les haricots. Nettoyez soigneusement la mâche. Épluchez et coupez en très fines rondelles l'oignon rouge.

▥ Dans une poêle, mettez les tomates cerise avec du sel, du poivre, le thym puis l'huile et faites cuire à feu moyen 10 min, en remuant souvent. Il faut que les tomates cerise commencent à éclater. Coupez alors le feu, ajoutez le vinaigre balsamique et mélangez bien.

▥ Sur un grand plat, répartissez la mâche et les haricots blancs. Ajoutez les tomates cerise et leur jus, puis décorez avec les rondelles d'oignons.

VARIANTE : Remplacez les tomates par des lardons grillés et des carottes râpées. Utilisez alors une vinaigrette classique.

CONSEIL : Si vous en avez la possibilité, achetez des haricots frais et faites-les cuire 30 min dans de l'eau bouillante salée et agrémentée de bouillon de volaille.

UNE IDÉE DE MENU ÉQUILIBRÉ

La salade de mâche accompagnée de poisson froid ou de saumon fumé, du pain grillé ou des biscottes, une coupe de fromage blanc avec des poires coupées en morceaux et un peu de vanille ou de cannelle.

POUR 4 PERSONNES
PRÉPARATION : 15 MIN
CUISSON : 10 MIN
DIFFICULTÉ : FACILE
COÛT : BON MARCHÉ

Salade aux poires, noisettes et roquefort

- 2 poires conférence
- 4 cuil. à soupe de noisettes entières
- 150 g de roquefort
- 200 g de mâche
- De la vinaigrette classique (voir recette p. 172)

▦ Nettoyez et essorez la mâche. Mettez les noisettes sur une plaque à pâtisserie et enfournez 10 min à 190 ° C (th.6-7). Sortez la plaque et retirez aussitôt les noisettes. Mettez-les dans une passoire et faites-les rouler contre le tamis afin de retirer la peau. Coupez le roquefort en dés.

▦ Épluchez les poires et coupez-les en petits quartiers. Sur des assiettes, répartissez la mâche, ajoutez les poires, le roquefort, les noisettes et la vinaigrette. Servez aussitôt.

VARIANTES : Remplacez le roquefort par du beaufort ou du comté, c'est aussi délicieux.

CONSEIL : N'épluchez les poires qu'à la dernière seconde car elles s'oxydent très vite.

UNE IDÉE DE MENU ÉQUILIBRÉ

La salade, des tranches de jambon cru avec du pain grillé, une crème caramel ou des œufs au lait.

POUR 4 PERSONNES
PRÉPARATION : 20 MIN
CUISSON : 15 MIN
DIFFICULTÉ : FACILE
COÛT : BON MARCHÉ

Salade d'asperges aux poivrons grillés

- *1 botte d'asperges vertes*
- *1 boîte de poivrons grillés au naturel*
- *150 g de mesclun*
- *1 botte de ciboulette*
- *4 cuil. à soupe d'amandes effilées*
- *De la vinaigrette balsamique (voir recette p. 173)*

▦ Nettoyez et essorez le mesclun. Épluchez les pieds des asperges et coupez le bout dur. Rincez sous l'eau froide et faites-les cuire 10 min dans de l'eau bouillante salée (la pointe d'un couteau doit pouvoir s'y enfoncer sans résistance). Coupez la ciboulette en tronçons de 2 à 3 cm et les poivrons égouttés en lanières.

▦ Faites griller sans matières grasses les amandes dans une poêle. Dès qu'elles commencent à dorer, retirez-les immédiatement de la poêle. Répartissez la salade dans des assiettes, disposez les asperges, les poivrons, la vinaigrette, la ciboulette et terminez par les amandes. Servez aussitôt.

VARIANTES : Remplacez les poivrons par du poisson frais grillé ou des noix de saint-jacques grillées.

CONSEIL : Vous pouvez réaliser vous-même les poivrons. Pour cela, faites-les noircir sous le gril du four sur tous les côtés puis, enroulez-les dans du papier journal et, lorsqu'ils sont tièdes, retirez la peau avant de les couper en lanières.

UNE IDÉE DE MENU ÉQUILIBRÉ

La salade, des tranches de pain grillées avec du fromage frais type St Môret, de la charcuterie maigre (jambon, viande des Grisons...) et des fruits.

POUR 4 PERSONNES
PRÉPARATION : 15 MIN
CUISSON : 30 MIN
DIFFICULTÉ : FACILE
COÛT : BON MARCHÉ

Salade de pommes de terre à la roquette

- *1 kg de pommes de terre*
- *100 g de roquette*
- *2 gousses d'ail*
- *6 tranches de lard fumé*
- *4 cuil. à soupe d'huile d'olive*
- *De la vinaigrette balsamique (voir recette p. 173)*
- *Sel, poivre*

▨ Nettoyez et essorez la roquette. Épluchez et hachez l'ail. Retirez la couenne et le cartilage du lard. Coupez-le ensuite en petits bâtonnets. Épluchez les pommes de terre puis coupez-les en tranches.

▨ Dans une poêle, faites chauffer l'huile. Ajoutez les pommes de terre et remuez bien. Salez, poivrez, puis couvrez et laissez cuire 15 min en remuant de temps en temps. Ajoutez alors le lard et l'ail puis laissez cuire encore 15 min en remuant de temps en temps pour faire griller les pommes de terre.

▨ Coupez le feu et laissez tiédir. Dans un grand saladier, mélangez la roquette avec la vinaigrette, puis répartissez par-dessus les pommes de terre avant de servir.

VARIANTE : Remplacez la roquette par du pissenlit, c'est délicieux et ajoutez des morceaux d'œufs durs.

CONSEIL : Pour une version plus légère, utilisez des pommes cuites à l'eau et remplacez le lard par des dés de jambon cru ou cuit ou des petits morceaux de poulet.

UNE IDÉE DE MENU ÉQUILIBRÉ

La salade de pommes de terre, 1 ou 2 œufs durs, un laitage et un fruit cru.

POUR 4 PERSONNES
PRÉPARATION : 15 MIN
CUISSON : 5 MIN
DIFFICULTÉ : FACILE
COÛT : BON MARCHÉ

Salade de saucisses de Strasbourg à la thaï

- 6 saucisses de Strasbourg
- 1/2 botte de menthe
- 1/2 botte de coriandre
- 1 citron vert
- 1 cuil. à soupe de sauce nuoc-mâm
- 1 cuil. à soupe de sauce soja
- 1 pincée de piment en poudre
- 1/2 gousse d'ail hachée
- 1 échalote hachée
- 2 cuil. à soupe d'huile végétale

▥ Faites cuire les saucisses de Strasbourg selon les indications du fabricant puis, coupez-les en rondelles.

▥ Effeuillez et hachez grossièrement la menthe et la coriandre. Pressez le citron et mélangez le jus avec les sauces nuoc-mâm et soja, le piment, l'ail et l'huile. Répartissez sur des assiettes la salade. Ajoutez les saucisses, les herbes, l'échalote et arrosez de sauce avant de servir.

VARIANTES : Remplacez les saucisses par des petits morceaux de poisson blanc cuits très rapidement à la vapeur ou par un carpaccio de bœuf.

CONSEIL : Pas besoin de sel et de poivre car le piment remplace le poivre et la sauce nuoc-mâm le sel.

UNE IDÉE DE MENU ÉQUILIBRÉ

La salade de saucisses, un peu de fromage et de pain puis des fruits crus ou cuits.

POUR 4 PERSONNES
PRÉPARATION : 10 MIN
DIFFICULTÉ : FACILE
COÛT : BON MARCHÉ

Salade d'*antipasti*

- *150 g de roquette*
- *200 g d'antipasti variés (tomates confites, artichauts à l'huile, aubergines grillées...)*
- *150 g de mozzarella en petites billes*
- *De la vinaigrette balsamique (voir recette p. 173)*

▥ Nettoyez et essorez la roquette. Égouttez les *antipasti* et la mozzarella.

▥ Dans un saladier, disposez la roquette, les *antipasti*, et la mozzarella. Ajoutez la vinaigrette et mélangez bien avant de servir.

VARIANTE : Remplacez les *antipasti* par une ratatouille égouttée.

CONSEIL : Le sel et le poivre ne sont pas nécessaires dans cette recette car les *antipasti* et la mozzarella sont déjà assaisonnés.

UNE IDÉE DE MENU ÉQUILIBRÉ

La salade *d'antipasti*, du pain de campagne, du jambon rôti et des fruits crus en dessert.

POUR 4 PERSONNES
PRÉPARATION : 15 MIN
CUISSON : 20 MIN
DIFFICULTÉ : FACILE
COÛT : BON MARCHÉ

Feuille de chêne, fèves et toasts au chèvre

- *1 salade feuille de chêne*
- *400 g de fèves sans les cosses*
- *4 petits fromages de chèvre (type rocamadour)*
- *4 tranches de pain de campagne*
- *De la vinaigrette balsamique (voir page 173)*
- *Sel, poivre*

▓ Nettoyez et essorez la salade. Faites cuire les fèves 10 min dans de l'eau bouillante salée. Égouttez-les.

▓ Disposez les fromages sur les tranches de pain et enfournez 10 min à 190 °C (th. 6-7) de façon à faire fondre et colorer le pain et les fromages. Disposez la salade dans des assiettes, ajoutez les fèves, les tartines et assaisonnez avec la vinaigrette, le sel et le poivre.

VARIANTE : Remplacez les fèves par des haricots verts et ajoutez des tomates cerise coupées en quartiers pour apporter une touche de couleur.

CONSEIL : Salez bien l'eau de cuisson des fèves, elles auront ainsi bon goût et ne seront pas fades (en moyenne, comptez 2 cuil. à soupe de gros sel par litre d'eau).

UNE IDÉE DE MENU ÉQUILIBRÉ

La salade étant un plat complet, prévoyez simplement beaucoup de fruits de saison.

POUR 4 PERSONNES
PRÉPARATION : 15 MIN
DIFFICULTÉ : FACILE
COÛT : BON MARCHÉ

Salade d'oignons doux, oranges et huile d'olive

- *2 oignons rouges doux*
- *6 oranges*
- *6 cuil. à soupe d'huile d'olive*
- *Sel, poivre*

▥ Épluchez les oignons puis tranchez-les le plus finement possible.

▥ Épluchez les oranges à l'aide d'un couteau pour retirer toute la peau blanche. Coupez-les ensuite en tranches. Dans un plat, disposez en alternance des oranges et des rondelles d'oignon rouge. Assaisonnez de sel, de poivre et d'huile d'olive.

VARIANTE : Vous pouvez remplacer l'huile d'olive par un mélange d'huile d'olive et d'huile d'argan. Vous pouvez aussi ajouter une pointe de cumin, de cannelle ou de *ras-el-hanout*

CONSEIL : Choisissez des oranges à bouche qui sont plus goûteuses que les oranges à jus et aussi moins acides.

UNE IDÉE DE MENU ÉQUILIBRÉ

La salade d'oignons et d'oranges, du poisson froid accompagné de pain ou de biscottes, un yaourt et un fruit.

POUR 4 PERSONNES
PRÉPARATION : 15 MIN
CUISSON : 15 MIN
DIFFICULTÉ : FACILE
COÛT : BON MARCHÉ

Salade de crevettes, pois gourmands et mini-maïs

- *400 g de crevettes décortiquées*
- *250 g de pois gourmands*
- *1 boîte de mini-maïs*
- *150 g de mesclun*
- *1 botte de coriandre*
- *6 cuil. à soupe d'huile d'olive*
- *De la vinaigrette aux fruits de la passion (voir recette p. 173)*
- *Sel, poivre*

▨ Nettoyez et essorez le mesclun. Essorez les mini-maïs et effeuillez la coriandre. Dans une poêle, faites chauffer la moitié de l'huile d'olive puis, faites-y revenir les pois gourmands à feu moyen 10 min. Salez et poivrez. Les pois gourmands doivent être cuits mais rester croquants. Disposez-les dans un tamis pour retirer l'excédent de gras.

▨ Faites chauffer le reste d'huile dans la poêle et faites-y griller les crevettes 3 à 4 min. Salez et poivrez. Dès que les crevettes s'enroulent sur elles-mêmes, coupez le feu. Disposez la salade sur les assiettes, ajoutez le maïs, les pois gourmands, les crevettes et la coriandre. Nappez de vinaigrette avant de servir.

VARIANTES : Remplacez les crevettes par du poulet coupé en lanières ou du veau en médaillons.

CONSEIL : Choisissez des crevettes d'assez grosse taille (calibre 16/20) et faites-les bien griller, c'est vraiment meilleur. Ajoutez si vous le désirez quelques tomates cerise ou des bâtonnets de carottes cuites pour une touche colorée et sucrée.

UNE IDÉE DE MENU ÉQUILIBRÉ

La salade, un petit bol de riz à la vapeur, du fromage blanc avec des morceaux de poire et un soupçon de vanille en poudre.

POUR 4 PERSONNES
PRÉPARATION : 15 MIN
CUISSON : 15 MIN
DIFFICULTÉ : FACILE
COÛT : BON MARCHÉ

Salade de haricots verts, parmesan, pignons et anchois marinés

- *250 g de haricots verts*
- *50 g de parmesan*
- *4 cuil. à soupe de pignons de pin*
- *100 g d'anchois marinés*
- *150 g de roquette*
- *De la vinaigrette balsamique (voir recette p. 173)*

▥ Nettoyez et essorez la roquette. Égouttez les anchois. Mettez les pignons de pin dans une poêle sur feu moyen. Dès qu'ils commencent à dorer, retirez-les aussitôt de la poêle. Faites cuire les haricots verts 10 min dans de l'eau bouillante salée. Ils doivent être cuits mais rester croquants. Essorez-les et laissez refroidir.

▥ Sur des assiettes, répartissez la roquette, ajoutez les haricots, les anchois, les pignons de pin et la vinaigrette. À l'aide d'un épluche-légumes, faites des copeaux de parmesan et servez aussitôt.

VARIANTE : Remplacez les anchois par des œufs mollets ou du poulet grillé.

CONSEIL : Vous pouvez garder l'huile des anchois et en mettre un peu dans la vinaigrette pour l'aromatiser. Ces anchois sont différents de ceux au sel. Ils ont une chair blanche.

UNE IDÉE DE MENU ÉQUILIBRÉ

La salade accompagnée de pain grillé frotté avec un peu d'ail et recouvert de chair de tomates, du fromage blanc nappé d'une purée ou d'un coulis de fruits.

POUR 4 PERSONNES
PRÉPARATION : 20 MIN
CUISSON : 5 MIN
DIFFICULTÉ : FACILE
COÛT : BON MARCHÉ

Salade de bœuf thaï

- *250 g de rumsteck de bœuf*
- *8 brins de coriandre*
- *8 brins de menthe*
- *Quelques feuilles de laitue*
- *1 échalote hachée*
- *1 cuil. à soupe de cacahuètes grillées*
- *Sel*

Pour la sauce

- *2 cuil. à soupe de cassonade*
- *2 cuil. à soupe de sauce soja*
- *2 cuil. à soupe de nuoc-mâm*
- *Le jus de 3 citrons verts*
- *1/2 gousse d'ail hachée*
- *1 petit piment séché*

▓ Mettez tous les ingrédients de la sauce dans le bol d'un mixeur. Mixez 2 min. Dans une poêle antiadhésive, versez 1 cuil. à café de sel puis faites-la fortement chauffer. Posez la viande, 1 min de chaque côté. Laissez le bœuf refroidir sur une planche puis coupez-le en très fines tranches. Effeuillez puis hachez la coriandre et la menthe.

▓ Nettoyez les feuilles de laitue et coupez-les en lamelles. Faites tremper le bœuf dans la sauce pendant 5 min juste avant de servir. Mettez dans un plat ovale la salade. Posez par-dessus le bœuf. Saupoudrez d'échalote, d'herbes et terminez en parsemant de quelques cacahuètes.

UNE IDÉE DE MENU ÉQUILIBRÉ

La salade, un bol de riz blanc et de la glace à la vanille avec une pomme râpée et un peu de muesli croquant.

POUR 4 PERSONNES
PRÉPARATION : 20 MIN
CUISSON : 5 MIN
DIFFICULTÉ : FACILE
COÛT : BON MARCHÉ

Salade César

- 1 salade romaine
- 1 gousse d'ail
- 1 jaune d'œuf
- Le jus de 1/2 citron
- 4 œufs durs
- 6 tranches de pain de mie
- 8 filets d'anchois
- 1/2 botte d'estragon
- 1/2 botte de ciboulette
- 50 g de parmesan
- 15 cl d'huile d'olive
- Sel, poivre du moulin

▓ Effeuillez et lavez la salade. Épluchez et écrasez l'ail. Mélangez-le avec le jaune œuf. Ajoutez le jus de citron et les trois-quarts de l'huile. Assaisonnez et mélangez.

▓ Pelez les œufs. Retirez la croûte du pain et coupez la mie en cubes. Dans une poêle, chauffez le reste d'huile d'olive. Faites-y dorer les croûtons. Posez-les ensuite sur du papier absorbant.

▓ Coupez les anchois en deux. Effeuillez l'estragon et coupez la ciboulette en bâtonnets de 2 à 3 cm. Avec un épluche-légumes, prélevez des copeaux de parmesan. Coupez les feuilles de salade en morceaux de 1,5 à 2 cm. Dans de grands bols, répartissez la salade, les croûtons, 4 morceaux d'anchois, un œuf dur coupé en quatre, l'estragon, la ciboulette et le parmesan. Assaisonnez avec la vinaigrette. Donnez 1 ou 2 tours de moulin à poivre et servez.

UNE IDÉE DE MENU ÉQUILIBRÉ

La salade, un laitage maigre et des fruits crus.

POUR 4 PERSONNES
PRÉPARATION : 10 MIN
CUISSON : 50 MIN
DIFFICULTÉ : FACILE
COÛT : BON MARCHÉ

Poireaux vinaigrette, œufs pochés et tuiles de parmesan

- *1 botte de petits poireaux*
- *1 tablette de bouillon de volaille bio*
- *4 œufs*
- *100 g de parmesan râpé*
- *1 botte de ciboulette*
- *3 cuil. à soupe de vinaigre blanc*
- *De la vinaigrette classique (voir recette p. 172)*

▥ Ôtez la partie verte des poireaux et nettoyez-les sous l'eau froide. Dans une grande casserole d'eau bouillante, faites fondre la tablette de bouillon. Plongez-y les poireaux et laissez cuire à feu moyen 20 min. Égouttez-les et laissez tiédir avant de servir.

▥ Dans une casserole, faites bouillir de l'eau avec le vinaigre blanc. Baissez le feu et faites un tourbillon. Cassez au centre un œuf et, avec une fourchette, rassemblez le blanc sur le jaune. Faites cuire 5 min et placez sur du papier absorbant. Faites de même avec les autres œufs.

▥ Faites des petits tas de parmesan sur une plaque garnie de papier sulfurisé et enfournez 10 min à 200 °C (th. 6-7). Il faut que le fromage fonde et dore. Laissez refroidir et durcir les tuiles hors du four. Servez les poireaux avec par-dessus les œufs pochés, la vinaigrette, la ciboulette coupés en tronçons de 2 cm et les tuiles.

UNE IDÉE DE MENU ÉQUILIBRÉ

Les poireaux, du pain grillé, un peu de fromage avec une salade d'endives et des fruits en dessert.

POUR 4 PERSONNES
PRÉPARATION : 10 MIN
CUISSON : 10 MIN
DIFFICULTÉ : FACILE
COÛT : BON MARCHÉ

Salade de thon, haricots et olives violettes

- 2 boites de thon entier
  à l'huile d'olive
- 150 g de mesclun
- 100 g de petites olives
  violettes
- 1 botte de cerfeuil
- 400 g de haricots verts
  extra-fins
- De la vinaigrette
  balsamique
  (voir recette p. 173)

▓ Nettoyez et essorez le mesclun. Égouttez le thon et les olives. Effeuillez le cerfeuil.

▓ Dans une casserole d'eau bouillante salée, faites cuire les haricots 10 min. Ils doivent être cuits mais rester croquants. Égouttez-les et laissez refroidir. Dans un saladier, mélangez le mesclun avec les haricots et le cerfeuil. Ajoutez le thon, les olives et la vinaigrette. Servez aussitôt.

VARIANTES : Remplacez le thon par des anchois, du poulet grillé, des restes de poulet rôti, des morceaux de poisson froid... C'est au fond une salade idéale pour finir un petit morceau de viande ou de poisson.

CONSEIL : Les olives violettes sont assez goûteuses et peu amères, mais rien ne vous empêche de les remplacer par d'autres olives. C'est une salade qui est aussi très bonne avec du thon au naturel et une vinaigrette classique.

UNE IDÉE DE MENU ÉQUILIBRÉ

La salade de thon, du pain grillé accompagné de fromage et des fruits crus ou cuits.

POUR 4 PERSONNES
PRÉPARATION : 20 MIN
CUISSON : 30 MIN
DIFFICULTÉ : FACILE
COÛT : BON MARCHÉ

Salade niçoise au saumon fumé

- *200 g de saumon fumé coupé en lanières*
- *300 g de pommes de terre*
- *300 g de haricots verts*
- *1 poivron vert*
- *Le jus de 1/2 citron jaune*
- *8 cuil. à soupe d'huile d'olive*
- *2 œufs durs*
- *3 tomates bien mûres épluchées*
- *1 laitue nettoyée*
- *12 filets d'anchois*
- *Une douzaine d'olives noires dénoyautées*
- *Sel, poivre*

▨ Nettoyez, épluchez et faites cuire les pommes de terre dans l'eau salée 20 min. Nettoyez, équeutez et faites cuire les haricots 5 à 10 min dans de l'eau salée. Égouttez les légumes. Ôtez le pédoncule et les graines du poivron. Mélangez le jus de citron avec l'huile, du sel et du poivre. Mettez de côté.

▨ Coupez les pommes de terre en rondelles de 2 à 3 mm. Coupez le poivron en bâtonnets, les œufs et les tomates en quartiers. Dans un grand plat, disposez la laitue. Faites des tas avec les ingrédients suivants : pommes de terre, haricots verts, tomates, saumon et poivron. Répartissez les œufs par-dessus, les olives et les anchois. Servez la salade avec la vinaigrette.

VARIANTE : Remplacez le saumon par du thon frais que vous ferez griller juste avant de servir.

CONSEIL : Vous pouvez enrichir la vinaigrette d'un peu d'herbes hachées du type cerfeuil, basilic ou persil.

UNE IDÉE DE MENU ÉQUILIBRÉ

La salade niçoise, du pain grillé accompagné de fromage de chèvre et des fruits.

POUR 4 PERSONNES
PRÉPARATION : 10 MIN
DIFFICULTÉ : FACILE
COÛT : BON MARCHÉ

Salade de pastèque, mozzarella, pistaches, oignons et crudités

- 1 morceau de pastèque d'environ 1 kg
- 1 oignon rouge
- 2 cuil. à soupe de pistaches nature
- 2 boules de mozzarella di buffala
- 8 cuil. à soupe d'huile d'olive
- Sel, poivre

▥ Retirez la peau de la pastèque et coupez-la en tranches d'un demi-centimètre d'épaisseur. Épluchez l'oignon rouge et coupez-le en fines rondelles. Dans une poêle sans matières grasses, faites griller les pistaches. Dès qu'elles commencent à colorer, retirez immédiatement de la poêle. Égouttez la mozzarella et coupez-la en tranches.

▥ Dans un plat, disposez en rosace et en alternance la pastèque, les tranches de mozzarella, les rondelles d'oignon puis assaisonnez avec du sel, du poivre et de l'huile d'olive. Terminez en décorant avec les pistaches grillées.

VARIANTES : Vous pouvez remplacer la mozzarella par de la feta ou des fromages de chèvre sec coupés en petits morceaux.

CONSEILS : Si vous n'avez pas de pistaches nature, remplacez-les simplement par des amandes effilées que vous ferez colorer dans une poêle.

UNE IDÉE DE MENU ÉQUILIBRÉ

La salade de pastèque accompagnée de pain grillé frotté avec une gousse d'ail, des œufs durs et des fruits.

POUR 4 PERSONNES
PRÉPARATION : 10 MIN
CUISSON : 10 MIN
DIFFICULTÉ : FACILE
COÛT : BON MARCHÉ

Pousses d'épinards, petits pois, fèves et œufs de saumon

- 150 g de pousses d'épinards
- 400 g de fèves
- 1 botte de ciboulette
- 1 petite boîte d'œufs de saumon
- De la vinaigrette balsamique (voir recette p. 173)

▨ Nettoyez et essorez les pousses d'épinards. Coupez la ciboulette en tronçons de 2 à 3 cm.

▨ Dans une casserole d'eau bouillante salée, faites cuire les fèves 10 min. Elles doivent être cuites mais rester croquantes. Égouttez-les et laissez refroidir. Dans un saladier, mélangez les pousses d'épinards avec les fèves et la ciboulette ciselée. Au dernier moment, ajoutez la vinaigrette puis les œufs de saumon. Servez aussitôt.

VARIANTES : Vous pouvez remplacer les œufs de saumon par des lardons, des petits morceaux de jambon, de la viande froide, du poisson fumé...

CONSEIL : Vous pouvez augmenter la quantité d'œufs de saumon mais attention c'est un produit très fort en goût, il ne faut pas en abuser.

UNE IDÉE DE MENU ÉQUILIBRÉ

La salade, du pain grillé accompagné de fromage frais et des fruits crus ou cuits.

POUR 4 PERSONNES
PRÉPARATION : 15 MIN
CUISSON : 20 MIN
DIFFICULTÉ : FACILE
COÛT : BON MARCHÉ

Salade de lentilles paysanne

- 200 g de lentilles vertes du Puy
- 1 carotte
- 1 botte de cerfeuil
- 2 échalotes grises
- 4 tranches de jambon sec d'Auvergne
- De la vinaigrette classique (voir recette p. 172)

▓ Mettez les lentilles dans une casserole d'eau froide salée. Portez à ébullition et laissez cuire 15 à 20 min. Les lentilles doivent être cuites mais fermes. Égouttez et laissez refroidir.

▓ Épluchez la carotte et râpez-la le plus finement possible. Effeuillez et hachez le cerfeuil. Épluchez les échalotes et hachez-les le plus finement possible. Coupez le jambon en petits lardons. Dans un saladier, mélangez les lentilles avec le cerfeuil, la carotte, les échalotes, le jambon et la vinaigrette. Servez aussitôt ou gardez dans le réfrigérateur.

VARIANTES : Assaisonnez la salade avec du citron vert, de la sauce soja, de l'huile d'olive et remplacez le jambon par du gingembre frais râpé et le cerfeuil par de la coriandre fraîche hachée.

CONSEIL : Surveillez bien la cuisson des lentilles pour qu'elles ne soient pas trop cuites. Il ne faut pas qu'elles se transforment en purée.

UNE IDÉE DE MENU ÉQUILIBRÉ

Les lentilles, une salade de mâche, un yaourt et un fruit.

POUR 6 PERSONNES
PRÉPARATION : 10 MIN
CUISSON : 10 MIN
DIFFICULTÉ : FACILE
COÛT : BON MARCHÉ

Salade de fraises, asperges, feta, tomates et mesclun

- 150 g de fraises mara des bois
- 250 g de tomates cerise
- 1 botte d'asperges vertes
- 200 g de feta
- 150 g de mesclun
- De la vinaigrette balsamique (voir recette p. 173)

■ Nettoyez, équeutez et coupez en deux les tomates cerise et les fraises. Épluchez le pied des asperges, coupez-les en deux dans la longueur puis faites-les cuire 10 min dans une casserole d'eau bouillante salée (la pointe d'un couteau doit pouvoir s'y enfoncer sans résistance). Égouttez les asperges.

■ Coupez la feta en cubes. Sur des assiettes, répartissez dans l'ordre, le mesclun, les tomates cerise, les asperges, les fraises, la feta et terminez en assaisonnant avec la vinaigrette balsamique. Servez aussitôt.

VARIANTE : Remplacez les fraises et la feta par du jambon cru grillé sans matières grasses dans une poêle et des œufs mollets.

CONSEIL : Évitez d'utiliser des asperges vertes en conserve. Si vous ne pouvez pas trouver d'asperges vertes fraîches, retirez-les simplement de la recette.

UNE IDÉE DE MENU ÉQUILIBRÉ

La salade accompagnée d'une *focaccia* (voir recette p. 14) et des fruits.

POUR 4 PERSONNES
PRÉPARATION : 10 MIN
CUISSON : 20 MIN
DIFFICULTÉ : FACILE
COÛT : BON MARCHÉ

Taboulé de quinoa

- *200 g de quinoa*
- *50 g de raisins secs*
- *1 botte de coriandre*
- *1 botte de menthe*
- *1 concombre*
- *250 g de tomates cerise*
- *Le jus de 1/2 citron jaune*
- *8 cuil. à soupe d'huile d'olive*
- *Sel, poivre*

▓ Faites tremper les raisins secs dans de l'eau tiède. Faites cuire le quinoa selon les indications du fabricant. Effeuillez et hachez la coriandre et la menthe. Épluchez le concombre, coupez-le en quatre dans le sens de la longueur et retirez les graines à l'intérieur. Coupez-le ensuite en rondelles. Coupez les tomates cerise en quatre morceaux.

▓ Dans un saladier, versez le quinoa, les herbes, le concombre, les tomates cerise, les raisins secs égouttés, le jus de citron, l'huile d'olive, du sel et du poivre. Mélangez bien et servez aussitôt ou gardez au frais jusqu'au dîner.

VARIANTES : Vous pouvez enrichir cette recette en y ajoutant des petits morceaux de viande (lardons, dés de jambon...) ou bien des produits de la mer (œufs de saumon, dés de saumon fumé, crevettes grillées, noix de saint-jacques...). N'hésitez pas non plus à légèrement épicer le taboulé avec du curry ou du *ras-el-hanout*.

CONSEIL : Si vous en avez le temps, mettez le concombre avec un peu de sel fin dans un tamis 1 h afin qu'il devienne croquant.

UNE IDÉE DE MENU ÉQUILIBRÉ

Le taboulé, du fromage accompagné de pain et des fruits.

POUR 4 PERSONNES
PRÉPARATION : 10 MIN
CUISSON : 20 MIN
DIFFICULTÉ : FACILE
COÛT : BON MARCHÉ

Haricots au soja

- *800 g de haricots verts*
- *4 carottes*
- *Une dizaine de tomates cerise*
- *1 cuil. à soupe de vinaigre balsamique*
- *1 cuil. à soupe de sauce soja*
- *6 cuil. à soupe d'huile d'olive*
- *Sel, poivre*

▦ Équeutez les haricots verts. Épluchez puis coupez en bâtonnets les carottes. Faites cuire dans de l'eau bouillante salée les légumes séparément. Ils doivent rester croquants. Coupez les tomates cerise en quatre.

▦ Dans un saladier, mélangez le vinaigre balsamique à la sauce soja, ajoutez le sel et le poivre puis terminez par l'huile d'olive. Mélangez la vinaigrette avec les haricots verts, les tomates cerise et les bâtonnets de carotte.

VARIANTE : Divisez la quantité de carottes et de haricots par deux et ajoutez 200 g de mesclun.

CONSEIL : Vous pouvez ajouter dans la recette 1 cuil. à café de sésame doré.

UNE IDÉE DE MENU ÉQUILIBRÉ

La salade de haricots, des blancs de poulet grillés avec très peu de matières grasses et un fromage blanc au coulis de fruits.

POUR 4 PERSONNES
PRÉPARATION : 15 MIN
CUISSON : 45 MIN
DIFFICULTÉ : FACILE
COÛT : BON MARCHÉ

Colombo de porc au citron vert

- *1 morceau de filet ou d'échine de porc d'environ 800 g*
- *1 petit oignon*
- *1 gousse d'ail*
- *2 cm de gingembre frais*
- *1 cuil. à soupe de poudre à colombo*
- *Le jus de 1 citron vert*
- *1 petite boîte de tomates concassées*
- *4 cuil. à soupe d'huile végétale*
- *Sel, poivre*

■ Épluchez l'oignon, l'ail et le gingembre. Mettez-les dans un moulin à épices ou au mixeur avec la poudre à colombo, du sel et du poivre. Mixez jusqu'à l'obtention d'une pâte homogène.

■ Coupez la viande en gros cubes et faites-les dorer dans une grande cocotte avec l'huile. Retirez l'excédent de gras puis ajoutez la pâte à colombo et le jus du citron vert. Enrobez bien la viande, ajoutez la boîte de tomates puis couvrez d'eau. Laissez ensuite cuire 45 min. Servez chaud.

VARIANTES : Vous pouvez réaliser la même recette avec du poulet ou du veau. Pensez aussi au poisson mais, dans ce cas, faites d'abord cuire et réduire la sauce avant d'y faire cuire le poisson 10 min.

CONSEIL : Vous pouvez remplacer la moitié de l'eau par du lait de coco et ajouter en fin de cuisson une botte de coriandre hachée.

UNE IDÉE DE MENU ÉQUILIBRÉ

Le colombo de porc, un bol de riz, une salade de mangue et d'ananas accompagnée d'un peu de glace à la noix de coco.

POUR 4 PERSONNES
PRÉPARATION : 10 MIN
CUISSON : 35 MIN
DIFFICULTÉ : FACILE
COÛT : BON MARCHÉ

Filet mignon
en cocotte lutée

- *1 filet mignon de porc d'environ 600 g*
- *100 g de farine*
- *2 branches de thym*
- *2 feuilles de laurier*
- *2 cuil. à soupe de vin blanc*
- *3 cuil. à soupe d'huile d'olive*
- *Sel, poivre*

▓ Dans un saladier, mettez la farine. Ajoutez, petit à petit, de l'eau sans cesser de mélanger pour avoir une pâte homogène qui ne colle pas aux doigts. Roulez cette pâte en un long boudin de la circonférence de la cocotte.

▓ Dans la cocotte, mettez le thym et le laurier. Posez par-dessus le filet mignon puis arrosez de vin blanc et d'huile d'olive. Salez et poivrez. Sur le tour supérieur de la cocotte légèrement graissé, disposez le boudin de pâte afin qu'il serve de joint lorsque vous fermerez la cocotte. Enfournez 35 min à 200 °C (th. 6-7) puis laissez reposer 10 min dans le four éteint. Sortez le plat, cassez le boudin de pâte et servez aussitôt.

VARIANTES : Vous pouvez réaliser la même recette avec un filet de poisson épais, un rôti de veau ou de porc.

CONSEIL : Ne vous compliquez pas la vie, ajoutez dans la cocotte des petites pommes de terre, des tronçons de carottes et des morceaux de navets.

UNE IDÉE DE MENU ÉQUILIBRÉ

Le filet mignon de porc, des carottes et pommes de terre cuites à la vapeur ou à l'eau, une salade et une crème caramel.

POUR 4 PERSONNES
PRÉPARATION : 15 MIN
CUISSON : 20 MIN
REPOS : 10 MIN
DIFFICULTÉ : FACILE
COÛT : BON MARCHÉ

Carré d'agneau
à la coriandre

- *2 carrés d'agneau*
- *2 gousses d'ail*
- *2 bottes de coriandre*
- *100 g de chapelure*
- *4 cuil. à soupe d'huile d'olive*
- *Sel, poivre*

▥ Épluchez et hachez l'ail. Effeuillez et hachez la coriandre. Dans un saladier, mélangez la coriandre, la chapelure, l'ail, le sel et le poivre.

▥ Étalez le mélange de coriandre sur le côté gras des carrés et mettez-les sur un plat. Enfournez les carrés 20 min à 200 °C (th. 6-7) après les avoir arrosés d'huile d'olive. Laissez reposer 10 min les carrés dans le four avec la porte entrouverte. Servez aussitôt.

VARIANTES : Vous pouvez aussi utiliser du cerfeuil ou du persil pour cette recette. Vous pouvez aussi répartir le mélange à la coriandre sur d'autres rôtis comme du bœuf, du porc ou du veau.

CONSEIL : Vous pouvez épicer ce plat en y ajoutant un peu de purée de piments ou du piment en poudre dans le mélange de coriandre.

UNE IDÉE DE MENU ÉQUILIBRÉ

Le carré d'agneau, de la ratatouille chaude ou froide, un peu de fromage et des fruits crus.

POUR 4 PERSONNES
PRÉPARATION : 25 MIN
CUISSON : 1 H 30
DIFFICULTÉ : FACILE
COÛT : BON MARCHÉ

Tajine d'agneau aux abricots

- 1 kg d'épaule d'agneau
- 2 oignons
- 2 gousses d'ail
- 2 cm de gingembre
- 3 carottes
- 3 courgettes
- 2 cuil. à soupe
  de ras-el-hanout
- 250 g d'abricots secs
  moelleux
- 125 g d'amandes entières
- 400 g de semoule de blé
- 4 cuil. à soupe d'huile
  d'olive
- Sel, poivre

▥ Épluchez et hachez les oignons, l'ail et le gingembre. Épluchez les carottes et les courgettes et coupez-les en tronçons. Dans une grande cocotte, faites chauffer l'huile.

▥ Détaillez la viande en cubes, salez, poivrez et faites-les dorer dans la cocotte. Retirez la viande puis mettez à dorer à feu vif l'ail, le gingembre et les oignons en remuant souvent. Ajoutez les épices et remettez la viande. Mélangez bien le tout puis couvrez d'eau. Portez à ébullition et laissez cuire à feu moyen 45 min.

▥ Au bout de ce temps, ajoutez les légumes, les abricots et les amandes puis poursuivez la cuisson 30 min. Vérifiez l'assaisonnement et la cuisson de la viande. Elle doit être fondante. Préparez la semoule selon les indications du fabricant et servez bien chaud.

UNE IDÉE DE MENU ÉQUILIBRÉ

Le tajine et une salade d'oranges à la cannelle.

POUR 4 PERSONNES
PRÉPARATION : 15 MIN
CUISSON : 1 H 20
DIFFICULTÉ : FACILE
COÛT : BON MARCHÉ

Poulet
et potimarron rôtis

- *1 poulet fermier*
- *1 potimarron d'environ 1,5 kg*
- *4 cuil. à soupe d'huile d'olive*
- *Quelques brins de romarin*
- *Sel, poivre*

▥ Préchauffez le four à 190 °C (th. 6-7). Coupez le potimarron en quartiers. Retirez les graines et les fibres du milieu. Posez le poulet sur une plaque allant au four. Arrosez de 1 verre d'eau, d'huile d'olive, de sel et de poivre.

▥ Enfournez le poulet 20 min puis ajoutez le potimarron salé et poivré sur la plaque. Tournez le poulet sur l'aile gauche et poursuivez la cuisson 20 min. Tournez alors le poulet sur l'autre aile, arrosez le potimarron de jus et poursuivez la cuisson encore 20 min. Mettez le poulet sur le dos, arrosez le potimarron et laissez 20 min. Coupez le four, attendez 10 min et servez aussitôt. Ajoutez un brin de romarin pour la décoration.

VARIANTE : Remplacez le potimarron par des pommes de terre et des gousses d'ail avec la peau. C'est délicieux.

CONSEIL : Si le poulet dépasse 1,5 kg, augmentez le temps de cuisson de 20 min et ne mettez le potimarron qu'au bout de 30 min de cuisson.

UNE IDÉE DE MENU ÉQUILIBRÉ

Le poulet et le potimarron, de la salade de mâche, du fromage blanc avec des morceaux de fruits frais et de la vanille.

POUR 4 PERSONNES
PRÉPARATION : 15 MIN
CUISSON : 1 H 40
DIFFICULTÉ: FACILE
COÛT : BON MARCHÉ

Poulet farci aux coquillettes

- *1 poulet d'environ 1,5 kg*
- *200 g de coquillettes*
- *4 pincées de fleur de sel*
- *6 pincées de piment d'Espelette*
- *80 g de beurre demi-sel*
- *Poivre du moulin*

▧ Cuisez les pâtes *al dente*. Égouttez-les et passez-les sous l'eau. Préchauffez le four à 190 °C (th. 6-7). Mélangez la fleur de sel au piment. Remplissez le poulet avec un maximum de pâtes. Placez-le dans un plat. Répartissez dessus le beurre, le sel pimenté et un peu de poivre. Enfournez.

▧ Au bout de 20 min de cuisson, tournez le poulet sur une aile. Mettez-le sur le dos, 20 min plus tard. Mettez-le sur l'autre aile, 20 min après. Laissez encore 20 min avant de le replacer dans sa position initiale pendant 20 min.

▧ Éteignez le four mais laissez-y le poulet (tournez-le pour qu'il ait les pattes en l'air) 15 min avant de déguster.

VARIANTE : Farcissez le poulet de vermicelles chinoises cuites à l'eau avec des champignons noirs réhydratés.

CONSEIL : S'il reste des pâtes, faites-les chauffer à la poêle avec un peu de jus de cuisson.

UNE IDÉE DE MENU ÉQUILIBRÉ

Le poulet et les pâtes, des crudités et des fruits frais.

POUR 4 PERSONNES
PRÉPARATION : 15 MIN
CUISSON : 55 MIN
DIFFICULTÉ : FACILE
COÛT : BON MARCHÉ

Rôti de porc
aux carottes
et aux marrons

- *1 rôti de porc pris dans l'échine d'environ 800 g*
- *800 g de carottes*
- *4 échalotes*
- *15 cl de vin blanc sec*
- *1 tablette de bouillon de volaille bio*
- *500 g de marrons au naturel*
- *4 cuil. à soupe d'huile d'olive*
- *Sel, poivre*

▦ Épluchez et coupez en petites rondelles les carottes. Épluchez et hachez les échalotes. Dans une grande cocotte, faites chauffer l'huile d'olive. Faites-y ensuite dorer le rôti sur toutes les faces. Lorsqu'il est bien grillé, sortez-le du plat et mettez les échalotes hachées. Faites-les revenir 5 min, en remuant souvent. Versez alors le vin, portez à ébullition puis, déliez-y le bouillon de volaille.

▦ Ajoutez ensuite le rôti, les carottes, les marrons égouttés, du sel, du poivre et couvrez pour faire cuire à feu doux 30 min. Retirez le couvercle et laissez à nouveau cuire 15 min pour un peu concentrer le jus. Servez chaud.

VARIANTE : Vous pouvez remplacer les marrons par des petits navets épluchés et des noisettes entières décortiquées.

CONSEIL : Pour obtenir une sauce plus onctueuse, ajoutez un peu de crème fraîche en fin de cuisson.

UNE IDÉE DE MENU ÉQUILIBRÉ

Le rôti, une salade d'endives aux noix et au beaufort et des poires en dessert.

POUR 4 PERSONNES
PRÉPARATION : 25 MIN
CUISSON : 45 MIN
DIFFICULTÉ : FACILE
COÛT : RAISONNABLE

Parmentier de canard aux navets

- *2 magrets de canard*
- *2 cuisses de confits de canard*
- *500 g de pommes de terre*
- *250 g de navets*
- *2 échalotes hachées*
- *2 cuil. à soupe de cognac*
- *2 cuil. à soupe de porto rouge*
- *1 botte de persil plat haché*
- *10 cl de lait*
- *Sel, poivre*

▦ Épluchez les pommes de terre et les navets. Faites-les cuire dans un grand volume d'eau salée 20 min. La pointe d'un couteau doit pouvoir s'y enfoncer sans résistance. Retirez le gras des confits et des magrets. Enlevez la chair se trouvant autour des os. Mixez au robot les magrets.

▦ Dans une poêle, faites revenir avec un peu de matières grasses les confits, les échalotes et la chair des magrets. Quand la viande est cuite, ajoutez le cognac, le porto et laissez cuire 2 à 3 min. Ajoutez le persil.

▦ Passez au moulin à légumes les navets et les pommes de terre. Vérifiez l'assaisonnement de la purée et ajoutez-y le lait. Tapissez le fond d'un plat à gratin de viande, mettez une couche de pommes de terre et enfournez 20 min à 190 °C (th. 6-7) avant de servir chaud.

VARIANTE : Vous pouvez remplacer la viande de canard par un reste de pot-au-feu de bœuf haché.

UNE IDÉE DE MENU ÉQUILIBRÉ

Le parmentier, une salade de mâche et des fruits.

POUR 4 PERSONNES
PRÉPARATION : 10 MIN
CUISSON : 35 MIN
DIFFICULTÉ : FACILE
COÛT : BON MARCHÉ

Canard à l'orange

– 2 magrets de canard
– 3 oranges
– 50 g de beurre
– 2 cuil. à soupe
   de sauce soja
– Sel, poivre

▥ Entaillez en formant des croisillons le gras du canard. Pressez les oranges.

▥ Dans une poêle sans matières grasses, saupoudrez le fond de sel et de poivre. Mettez sur feu moyen et posez les magrets lorsque la poêle est chaude. Laissez cuire ainsi 10 à 12 min et retirez l'excédent de gras de la poêle. Tournez ensuite les magrets et poursuivez la cuisson 5 min. Coupez le feu et laissez reposer 5 min avant de servir.

▥ Faites réduire aux deux-tiers le jus d'orange dans une casserole à petits bouillons, 15 min. Avant de servir, ajoutez la sauce soja, du sel, du poivre, le beurre en petits morceaux et fouettez pour émulsionner. Servez avec la sauce.

VARIANTE : Vous pouvez remplacer le magret de canard par du filet mignon de porc.

CONSEIL : Choisissez des magrets de canard IGP du Sud-Ouest. Pour les oranges, prenez des oranges à bouche.

UNE IDÉE DE MENU ÉQUILIBRÉ

Le canard à l'orange, une poêlée de carottes, de la salade, un laitage maigre et des fruits.

POUR 4 PERSONNES
PRÉPARATION : 20 MIN
CUISSON : 20 MIN
DIFFICULTÉ : FACILE
COÛT : BON MARCHÉ

Rôti de bœuf à l'ancienne

- *1 rosbif d'environ 800 g pris dans le rumsteck*
- *2 échalotes*
- *2 carottes*
- *4 anchois au sel*
- *50 g de beurre à température ambiante*
- *Sel, poivre*

▥ Épluchez et coupez en fines rondelles les échalotes et les carottes. Disposez-les dans un plat allant au four. Coupez les anchois en quatre morceaux et répartissez-les entre le gras et le rôti de bœuf. Étalez le beurre sur toute la longueur du rôti et poivrez-le généreusement. Mettez un petit peu de sel et disposez sur le lit de carottes et d'échalotes.

▥ Enfournez la viande 20 min à 250 °C (th. 8-9). Éteignez le four, entrouvrez la porte et laissez la viande encore reposer 20 min. Coupez en tranches et servez aussitôt.

VARIANTES : Vous pouvez faire cette recette avec tous les rôtis. Autrefois, on salait la viande avec des anchois de Collioure. Rien ne vous empêche de faire de même avec du poulet en insérant des petits morceaux d'anchois sous la peau.

CONSEILS : Demandez au boucher de remplacer la barde de porc par de la barde de bœuf. Si vous prenez un rosbif dans le rumsteck, la viande sera bien plus moelleuse.

UNE IDÉE DE MENU ÉQUILIBRÉ

Le rôti, des chips, de la salade, un yaourt et des fruits.

POUR 4 PERSONNES
PRÉPARATION : 30 MIN
CUISSON : 1 H
REPOS : 4 H
DIFFICULTÉ : FACILE
COÛT : BON MARCHÉ

Terrine de foies de volaille

- *500 g de foies de volaille*
- *1 gousse d'ail hachée*
- *2 échalotes hachées*
- *2 cuil. à soupe de cognac*
- *2 cuil. à soupe de porto blanc*
- *2 cuil. à soupe de xérès sec*
- *2 œufs entiers*
- *20 cl de crème fraîche épaisse*
- *2 cuil. à soupe d'huile végétale*
- *1 cuil. à café de fleur de thym*
- *1 pincée de muscade*
- *1 cuil. à café de sucre semoule*
- *1 cuil. à café de sel fin*
- *12 tours de moulin à poivre*

▓ Coupez les foies en deux et retirez toutes les traces vertes de fiel (bile des animaux). Dans une poêle, faites chauffer l'huile, puis faites-y revenir l'ail et les échalotes. Lorsque ces dernières sont translucides, ajoutez le cognac, le porto et le xérès, puis laissez réduire presque à sec.

▓ Dans le bol d'un mixeur, rassemblez tous les ingrédients et mixez de façon à obtenir un mélange homogène. Versez cette préparation dans une grande terrine.

▓ Préchauffez le four à 200 °C (th. 6-7). Fermez la terrine, déposez-la dans un plat rempli à moitié d'eau bouillante et enfournez 45 min. Sortez la terrine du four (la pointe d'un couteau enfoncée au centre doit ressortir humide mais propre) et laissez reposer au moins 4 h au frais avant de servir.

UNE IDÉE DE MENU ÉQUILIBRÉ

La terrine, des cornichons, des crudités, un laitage et des fruits.

POUR 4 PERSONNES
PRÉPARATION : 30 MIN
CUISSON : 1 H
DIFFICULTÉ : FACILE
COÛT : BON MARCHÉ

Couscous

- *1 petit poulet coupé en quatre morceaux avec la carcasse*
- *2 cuil. à soupe d'épices à couscous*
- *3 courgettes*
- *3 carottes*
- *3 petits navets épluchés*
- *3 échalotes épluchées*
- *1 boite de pois chiches*
- *1 cuil. à soupe de concentré de tomates*
- *200 g de couscous moyen*
- *25 g de raisins secs*
- *2 cuil. à soupe d'huile*
- *Sel, poivre*

▓ Dans une grande cocotte, faites chauffer l'huile et faites-y dorer les morceaux de poulet. Retirez la viande, l'excès de gras et faites chauffer les épices dans le fond de la cocotte. Remettez la viande, les légumes épluchés et coupés en deux, les pois chiches égouttés, le concentré de tomates et couvrez largement d'eau. Portez à ébullition et laissez cuire 30 min à couvert. Terminez la cuisson à découvert 15 min.

▓ Faites cuire la semoule en suivant les indications sur le paquet. Ajoutez-y les raisins secs et mélangez bien. Avec un tamis ou un panier vapeur, faites ensuite réchauffer la semoule au-dessus du couscous bouillonnant.

VARIANTES : Vous pouvez remplacer le poulet par de l'agneau, des merguez ou un mélange de ces trois viandes.

CONSEIL : N'oubliez surtout pas de servir le couscous avec de la harissa.

UNE IDÉE DE MENU ÉQUILIBRÉ

Le couscous, un verre de lait fermenté avec un peu de sucre et de vanille ou de fleur d'oranger.

POUR 4 PERSONNES
PRÉPARATION : 15 MIN
CUISSON : 1 H 20
DIFFICULTÉ : FACILE
COÛT : BON MARCHÉ

Gigot pleureur

- 1 gigot d'agneau
- 1 kg de pommes de terre
- 3 oignons
- 2 branches de thym
- 40 cl de vin blanc
- 2 cuil. à soupe d'huile d'olive
- Sel, poivre

■ Préchauffez le four à 190 °C (th. 6-7). Épluchez les pommes de terre et les oignons. Coupez-les en rondelles de 2 à 3 mm d'épaisseur. Dans un plat à gratin, répartissez en alternance les rondelles de pommes de terre et d'oignons et les branches de thym. Versez le vin blanc et assaisonnez avec le sel, le poivre et l'huile. Couvrez d'eau.

■ Posez le gigot sur les pommes de terre et les oignons. Couvrez d'aluminium et enfournez 40 min. Au bout de ce temps, retirez l'aluminium, arrosez le rôti et laissez à nouveau cuire 40 min. Le plat est cuit lorsque la pointe d'un couteau s'enfonce sans résistance dans les pommes de terre. Servez chaud.

VARIANTES : Vous pouvez réaliser la même recette avec un poulet, un rôti de veau ou de porc.

CONSEIL : Assurez-vous que les pommes de terre soient bien cuites avant de servir le plat, quitte à laisser le gigot en dehors du four et au chaud dans du papier aluminium.

UNE IDÉE DE MENU ÉQUILIBRÉ

Le gigot pleureur, une salade verte et une salade d'agrumes.

POUR 4 PERSONNES
PRÉPARATION : 20 MIN
CUISSON : 1 H
DIFFICULTÉ : FACILE
COÛT : RAISONNABLE

Sauté de veau aux champignons

- *1 kg de noix de veau*
- *50 g de mélange forestier de champignons déshydratés*
- *2 carottes épluchées et coupées en petits dés*
- *50 cl de vin blanc sec*
- *2 oignons hachés*
- *1 botte de ciboulette*
- *4 cuil. à soupe d'huile végétale*
- *Sel, poivre*

■ Commencez par hydrater les champignons en suivant les indications sur le paquet. Découpez la noix de veau en gros cubes. Découpez la ciboulette en tronçon de 2 cm.

■ Dans une cocotte, faites chauffer l'huile puis faites dorer et griller les morceaux de viande. Retirez la viande de la cocotte, enlevez l'excès de gras, puis ajoutez les carottes et les oignons. Laissez cuire 3 à 4 min sans cesser de mélanger puis, versez le vin, portez à ébullition et ajoutez la viande.

■ Au bout de 30 min, ajoutez les champignons dans la cocotte et poursuivez la cuisson 30 min. La viande devrait à ce moment être fondante et moelleuse. Parsemez-la de ciboulette hachée et assaisonnez. Servez aussitôt.

UNE IDÉE DE MENU ÉQUILIBRÉ

Le sauté de veau, des pâtes fraîches et un laitage.

POUR 4 PERSONNES
PRÉPARATION : 30 MIN
DIFFICULTÉ : FACILE
COÛT : RAISONNABLE

Carpaccio de thon, salade de cresson, tomates et olives

- *600 g de thon rouge*
- *8 tomates allongées*
- *1 cuil. à soupe d'olives noires à la grecque dénoyautées*
- *10 brins de cresson de fontaine*
- *10 cuil. à soupe d'huile d'olive*
- *Sel, poivre*

▨ Plongez les tomates 1 min dans l'eau bouillante. Épluchez-les et coupez-les en rondelles. Mettez les olives dans un tamis et passez-les rapidement sous l'eau froide. Essuyez-les à l'aide de papier absorbant et coupez-les en quatre. Coupez en bâtonnets les feuilles de cresson. Dans un plat ovale, répartissez en rosace les tomates. Saupoudrez de cresson, d'olives, de sel, de poivre et de la moitié de l'huile. Gardez au frais.

▨ Coupez en fines tranches le thon. Répartissez-le sur quatre assiettes. Assaisonnez avec le reste de l'huile, du sel et du poivre. Servez aussitôt avec de la salade.

VARIANTES : Vous pouvez utiliser aussi du saumon ou du cabillaud. Ajoutez une petite note acide en mettant sur chaque assiette quelques gouttes de jus de citron vert. Pensez à enrichir la salade de 1 petite échalote hachée ou 1 gousse d'ail écrasée.

CONSEIL : Pour facilement couper le poisson en fines tranches, mettez-le au congélateur 30 min afin qu'il soit bien dur avant de le trancher.

UNE IDÉE DE MENU ÉQUILIBRÉ

Le thon avec la salade, du pain grillé, un peu de fromage accompagné de raisin.

POUR 4 PERSONNES
PRÉPARATION : 20 MIN
MARINADE : 48 H
DIFFICULTÉ : FACILE
COÛT : RAISONNABLE

Tartare de saumon, condiment granny-smith

- *300 g de saumon en pavés*
- *1 concombre*
- *1 pomme granny-smith*
- *1 branche de céleri*
- *10 brins de coriandre*
- *1 cuil. à café de sauce soja*
- *4 cuil. à soupe d'huile végétale*
- *Sel, poivre*

▧ Épluchez le concombre, la pomme, le céleri et coupez-les en petits morceaux après en avoir retiré le cœur.

▧ Coupez le saumon en petits cubes d'un demi-centimètre d'épaisseur. Mélangez-le avec les légumes, la coriandre, l'huile, la sauce soja, du sel et du poivre.

▧ Laissez mariner 48 h au frais. Remplissez des ramequins de tartare et retournez-les au centre de l'assiette.

VARIANTES : Remplacez la pomme et le céleri par de l'oignon rouge et de l'aneth. Remplacez aussi la sauce soja par du vinaigre blanc.

CONSEIL : Si vous en avez le temps, découpez le concombre en petits cubes et mettez-le dans un tamis avec du sel fin 1 h. Ainsi, il deviendra croquant.

UNE IDÉE DE MENU ÉQUILIBRÉ

Le tartare, une salade de mesclun, du pain grillé, un peu de fromage ou un laitage et une compote de fruits.

POUR 4 PERSONNES
PRÉPARATION : 30 MIN
CUISSON : 5 MIN
DIFFICULTÉ : FACILE
COÛT : RAISONNABLE

Thon et poêlée niçoise

- *4 pavés de thon albacore*
- *4 tomates allongées*
- *3 brins de basilic*
- *1 cuil. à soupe
  de tapenade d'olive noire*
- *6 cuil. à soupe d'huile
  d'olive*
- *Sel, poivre*

▧ Plongez les tomates 1 min dans l'eau bouillante. Épluchez-les, coupez-les en quatre, retirez le cœur et coupez la chair en petits dés. Effeuillez et coupez le basilic en petits bâtonnets. Dans un bol, mélangez les tomates avec le basilic, la tapenade, la moitié de l'huile d'olive, du sel et du poivre.

▧ Dans une poêle, faites chauffer le reste d'huile puis, faites-y cuire les pavés de thon en comptant 3 à 5 min de chaque côté. Il faut que le cœur reste légèrement cru. Servez aussitôt le poisson chaud avec la sauce à la tomate et à la tapenade.

VARIANTES : Vous pouvez faire cette même recette en utilisant de l'espadon ou du saumon. Vous pouvez aussi enrichir la sauce de 1 petite échalote hachée ou 1 gousse d'ail écrasée.

CONSEIL : C'est une recette à faire bien sûr l'été lorsque les légumes sont plus riches en goût. L'hiver, vous pouvez faire cette recette mais cuisez les tomates 20 min avec un peu d'huile d'olive.

UNE IDÉE DE MENU ÉQUILIBRÉ

Le thon avec la sauce, des gnocchis grillés et une crème caramel.

POUR 4 PERSONNES
PRÉPARATION : 30 MIN
CUISSON : 30 MIN
DIFFICULTÉ : FACILE
COÛT : RAISONNABLE

Espadon grillé, sauce tomate aux câpres

- 4 pavés d'espadon
- 8 tomates allongées
- 1 oignon rouge
- 1 petite gousse d'ail
- 1 cuil. à café de sucre
- 1 cuil. à soupe de câpres égouttées
- 6 cuil. à soupe d'huile d'olive
- Sel, poivre

▨ Plongez les tomates 1 min dans l'eau bouillante. Épluchez-les, coupez-les en quatre et coupez la chair en petits dés. Épluchez puis hachez l'oignon et l'ail. Dans une casserole, faites chauffer la moitié de l'huile. Ajoutez alors l'ail et l'oignon puis laissez cuire 1 à 2 min sans cesser de remuer. Mettez alors le sucre et les tomates puis poursuivez la cuisson à feu doux 20 min. Assaisonnez avec un peu de sel et de poivre puis parsemez de câpres.

▨ Dans une poêle, faites chauffer le reste d'huile et faites-y cuire les pavés d'espadon en comptant 3 à 5 min de chaque côté. Il faut que le cœur reste légèrement cru. Servez aussitôt le poisson chaud avec la sauce à la tomate chaude ou froide.

VARIANTES : Vous pouvez réaliser cette recette avec tous les poissons et viandes blanches. Vous pouvez aussi remplacer les câpres par des olives vertes.

CONSEIL : Égouttez bien les câpres et mettez-les dans du papier absorbant afin de retirer tout le vinaigre qui s'y trouve.

UNE IDÉE DE MENU ÉQUILIBRÉ

L'espadon avec la sauce, de la semoule de blé cuite à la vapeur, un peu de fromage et des fruits.

POUR 4 PERSONNES
PRÉPARATION : 20 MIN
CUISSON : 10 MIN
DIFFICULTÉ : FACILE
COÛT : BON MARCHÉ

Hamburger
de saumon frais

- *4 pavés de samon*
- *1/2 oignon rouge haché*
- *1/2 botte de ciboulette hachée*
- *Quelques gouttes de Tabasco*
- *50 g de fromage frais type St Môret*
- *4 petits pains à hamburger*
- *Quelques feuilles de salade*
- *100 g de tomates confites*
- *Sel, poivre*

▨ Dans un bol, mélangez le fromage frais avec l'oignon, la ciboulette, le Tabasco, du sel et du poivre.

▨ Portez de l'eau salée à ébullition dans une casserole. Plongez-y les pavés de saumon et laissez cuire 5 à 7 min. Retirez délicatement les pavés de l'eau et écrasez-les à l'aide d'une fourchette.

▨ Faites tièdir au four les pains à hamburger, étalez sur la base le fromage frais, ajoutez les morceaux de saumon, quelques tomates confites, une feuille de salade et refermez avec le chapeau du pain sur lequel vous aurez étalé un peu de fromage frais.

VARIANTES : Vous pouvez remplacer le saumon par du thon ou de l'espadon. Vous pouvez aussi remplacer le fromage frais par une sauce faite à base de yaourt, de raifort râpé, d'aneth, du sel et du poivre.

CONSEIL : Égouttez bien les tomates confites car elles sont marinées dans l'huile et donc très grasses.

UNE IDÉE DE MENU ÉQUILIBRÉ

Un hamburger, le reste de la salade, un laitage maigre accompagné de fruits.

POUR 4 PERSONNES
PRÉPARATION : 10 MIN
CUISSON : 15 MIN
DIFFICULTÉ : FACILE
COÛT : BON MARCHÉ

Papillote de cabillaud

- *4 pavés de cabillaud sans la peau*
- *800 g de tomates cocktail*
- *1/2 botte de basilic*
- *1 cuil. à café de fleur de thym*
- *4 cuil. à soupe de tapenade noire*
- *4 cuil. à soupe d'huile d'olive*
- *Sel, poivre*

▦ Nettoyez les tomates et coupez-les en deux. Effeuillez et coupez en bâtonnets les feuilles de basilic. Mélangez les tomates avec le basilic, le thym, la tapenade, du sel et du poivre.

▦ Sur quatre grands carrés de papier sulfurisé ou d'aluminium, répartissez les tomates au basilic. Posez par-dessus les pavés de cabillaud, salez, poivrez et versez 1 cuil. à soupe d'huile d'olive sur chacun. Enfournez les papillotes 15 min à 200 °C (th. 6-7) puis servez aussitôt.

VARIANTES : Vous pouvez évidemment remplacer le cabillaud par n'importe quel autre poisson. Vous pouvez aussi ajouter un bulbe de fenouil très finement coupé dans la papillote.

CONSEIL : Si vous n'aimez pas la tapenade, n'hésitez pas à la retirer ou à la remplacer par du pesto ou du cerfeuil.

UNE IDÉE DE MENU ÉQUILIBRÉ

La papillote accompagnée d'un bol de riz, de poires au sirop et d'une boule de glace à la vanille.

POUR 4 PERSONNES
PRÉPARATION : 15 MIN
CUISSON : 15 MIN
DIFFICULTÉ : FACILE
COÛT : BON MARCHÉ

Colin, sauce vierge

- *4 pavés de colin*
- *2 tomates*
- *1 échalote*
- *1 cuil. à soupe d'olives noires dénoyautées*
- *1/2 botte de basilic*
- *Le jus de 1/4 de citron jaune*
- *10 cl d'huile d'olive*
- *Sel, poivre*

▓ Portez de l'eau à ébullition dans une casserole. Plongez-y les tomates 1 min après avoir incisé la base avec un petit couteau. Épluchez les tomates. Coupez-les en quatre et retirez les graines. Coupez ensuite en petits dés la chair. Épluchez et hachez l'échalote. Hachez les olives et les feuilles de basilic en les enroulant les unes dans les autres puis en les coupant en fins bâtonnets. Dans un grand bol, mélangez les tomates, l'échalote, les olives et le basilic. Versez le jus de citron, l'huile d'olive, du sel et du poivre. Mélangez bien et gardez au frais.

▓ Faites cuire les pavés de colin à la vapeur ou dans une poêle avec un peu de matières grasses et servez aussitôt avec la sauce.

VARIANTES : La sauce vierge accompagne à merveille tous les poissons grillés ou toutes les viandes blanches. L'essayez, c'est l'adopter !

CONSEIL : Si vous le pouvez, préparez à l'avance la sauce dont le parfum va évoluer au fur et à mesure que les ingrédients marinent ensemble.

UNE IDÉE DE MENU ÉQUILIBRÉ

Le colin et la sauce vierge, un gratin de courgettes et des fruits.

POUR 4 PERSONNES
PRÉPARATION : 15 MIN
CUISSON : 15 MIN
DIFFICULTÉ : FACILE
COÛT : BON MARCHÉ

Saumon au réglisse

- *4 pavés de saumon*
  de 150 g avec la peau
- *4 bâtons de réglisse*
- *3 échalotes*
- *25 cl de vin blanc*
- *15 cl de crème liquide*
- *Sel, poivre*

▓ Transpercez chaque pavé au milieu dans le sens de la longueur avec un bâton de réglisse. Faites-les cuire à la vapeur 15 min.

▓ Épluchez et hachez les échalotes. Mettez-les dans une casserole avec le vin blanc et faites réduire presque à sec. Ajoutez alors la crème, salez, poivrez et portez le tout à ébullition. Servez le saumon avec cette sauce.

VARIANTES : Vous désirez garder la réglisse, vous pouvez remplacer le saumon par du cabillaud ou des pavés de loup.

CONSEIL : La réglisse va légèrement parfumer le poisson, si vous désirez quelque chose de plus fort, ajoutez à la sauce 1 ou 2 cachous La Jaunie ou un petit morceau de réglisse Zan.

UNE IDÉE DE MENU ÉQUILIBRÉ

Le saumon, une compotée de poireaux et une salade de fruits.

POUR 4 PERSONNES
PRÉPARATION : 40 MIN
CUISSON : 40 MIN
DIFFICULTÉ : FACILE
COÛT : UN PEU CHER

Fricassée de lotte

- *600 g de queue de lotte coupée en gros cubes*
- *2 cm de gingembre haché*
- *1 oignon nouveau haché*
- *2 gousses d'ail hachées*
- *2 cuil. à soupe de curry madras*
- *Le jus de 2 citrons verts*
- *6 tomates*
- *200 g de riz*
- *1 dose de safran en filaments*
- *1 botte de coriandre*
- *3 cuil. à soupe d'huile d'olive*
- *Sel, poivre*

▥ Dans une casserole, faites chauffer l'huile puis ajoutez le gingembre, l'oignon et l'ail. Faites revenir 3 à 4 min, en remuant souvent. Ajoutez le curry. Laissez cuire 3 à 4 min, puis versez le jus des citrons et les tomates épluchées et hachées. Baissez le feu et laissez compoter 30 min. Salez et poivrez.

▥ Faites cuire le riz selon les indications sur le paquet. Avant que le riz ne soit complètement cuit, disposez la lotte dans la sauce et faites cuire 10 min. Égouttez le riz et ajoutez-y le safran. Ajoutez la coriandre effeuillée dans la sauce et servez avec le riz.

VARIANTE : Remplacez la lotte par d'autres poissons, crustacés ou fruits de mer mais ne faites pas cuire plus de 10 min.

CONSEIL : Le curry madras est souvent assez pimenté, n'hésitez donc pas à alléger la quantité ou à choisir un autre curry plus doux si vous redoutez le piment.

UNE IDÉE DE MENU ÉQUILIBRÉ

La lotte, le riz au safran, quelques fruits frais et un lassi.

POUR 4 PERSONNES
PRÉPARATION : 15 MIN
CUISSON : 15 MIN
DIFFICULTÉ : FACILE
COÛT : BON MARCHÉ

Papillote de poisson en feuille de bananier

- *4 pavés de saumon de 150 g environ*
- *2 feuilles de bananier*
- *4 cuil. à café de pâte de curry rouge (en épiceries asiatiques)*
- *4 cuil. à café de sauce nuoc-mâm*
- *4 cuil. à soupe de lait de coco*
- *1 botte de coriandre*

▨ Coupez les feuilles de bananier en quatre. Disposez chaque morceau de feuilles de bananier en croix. Posez au centre un pavé de saumon, étalez 1 cuil. à café de pâte de curry. Arrosez chaque papillote de 1 cuil. à café de sauce nuoc-mâm et de 1 cuil. à soupe de lait de coco.

▨ Effeuillez un peu de coriandre avant de refermer la papillote et de la maintenir fermée avec un cure-dents. Disposez vos papillotes dans un cuit-vapeur et faite cuire 15 min. Servez aussitôt.

VARIANTE : Remplacez le saumon par des noix de saint-jacques et des crevettes décortiquées.

CONSEIL : Si vous ne trouvez pas de pâte de curry rouge, remplacez par un peu de poudre d'épices tandoori.

UNE IDÉE DE MENU ÉQUILIBRÉ

La papillote avec un bol de riz, une salade de fruits exotiques et de la glace à la noix de coco.

POUR 4 PERSONNES
PRÉPARATION : 10 MIN
CUISSON : 30 MIN
DIFFICULTÉ : FACILE
COÛT : BON MARCHÉ

Pâtes à la fellerini

- *250 g de tagliatelle*
- *500 g d'épinards frais*
- *2 oignons nouveaux*
- *1 botte de ciboulette*
- *100 g de parmesan*
- *25 cl de crème liquide*
- *4 cuil. à soupe d'huile d'olive*
- *Sel, poivre*

■ Nettoyez les épinards. Retirez les grosses tiges puis essorez-les. Épluchez, nettoyez et hachez les oignons. Hachez finement la ciboulette. À l'aide d'un couteau économe, faites des copeaux de parmesan.

■ Dans une grande casserole, versez l'huile d'olive. Quand elle est chaude, ajoutez les oignons et laissez cuire 3 à 4 min, en remuant, jusqu'à ce qu'ils soient translucides. Ajoutez, peu à peu, les épinards et mélangez pour les faire fondre. Lorsque tous les épinards ont fondu, laissez s'évaporer l'eau avant d'ajouter la crème, la ciboulette, le sel et le poivre. Portez une casserole d'eau à ébullition et laissez cuire 8 à 10 min pour des pâtes *al dente*. Prélevez 4 cuil. à soupe d'eau de cuisson des pâtes et ajoutez-les à la sauce. Servez le tout bien chaud et saupoudrez des copeaux de parmesan.

VARIANTE : Retirez les épinards de la recette et ajoutez juste avant de servir 150 g de roquette.

UNE IDÉE DE MENU ÉQUILIBRÉ

Les pâtes, du jambon cru italien et des raisins avec quelques noix ou noisettes.

POUR 4 PERSONNES
PRÉPARATION : 10 MIN
CUISSON : 20 MIN
DIFFICULTÉ : FACILE
COÛT : BON MARCHÉ

Risotto de coquillettes au safran

- 350 g de coquillettes
- 1 oignon nouveau haché
- 10 cl de vin blanc sec
- 2 bouillons cube de volaille délayés dans 1 litre d'eau bouillante
- 1 dose de safran en poudre
- 50 g de parmesan
- 2 cuil. à soupe d'huile d'olive
- Sel, poivre

▨ Dans une grande casserole, faites cuire 2 à 3 min l'oignon avec l'huile d'olive. Lorsqu'il devient translucide, versez le vin blanc et laissez réduire presque à sec. Ajoutez alors les coquillettes, enrobez d'oignon et couvrez d'une louche de bouillon.

▨ Lorsque tout le bouillon a été absorbé, rajoutez-en, louche par louche, jusqu'à ce que les pâtes aient tout absorbé. Coupez le feu, salez, poivrez, ajoutez le safran et le parmesan râpé puis servez aussitôt.

VARIANTES : Vous pouvez enrichir cette recette en y ajoutant des petits morceaux de chorizo, de dés de jambon, de poulpe, de crevettes, de praires...

CONSEIL : Faites cuire le risotto très doucement afin que les pâtes aient le temps d'absorber le bouillon. Bien sûr, le goût final de ce risotto dépendra beaucoup de la qualité du bouillon.

UNE IDÉE DE MENU ÉQUILIBRÉ

Le risotto, une salade de tomates ou de roquette et un tiramisu.

POUR 4 PERSONNES
PRÉPARATION : 15 MIN
CUISSON : 15 MIN
DIFFICULTÉ : FACILE
COÛT : BON MARCHÉ

Pâtes noires
au tartare de tomate
et câpres

- *300 g de pâtes noires à l'encre de seiche*
- *6 tomates allongées roma*
- *2 brins de basilic*
- *1 oignon nouveau*
- *1 cuil. à soupe de câpres égouttées*
- *4 cuil. à soupe d'huile d'olive*
- *Sel, poivre*

▓ Plongez les tomates 1 min dans l'eau bouillante. Pelez la peau, coupez-les en quatre pour retirer les graines puis, coupez la chair en petits dés. Salez ces dés et versez-les dans un tamis afin qu'ils perdent leur eau. Effeuillez et hachez le basilic. Coupez le vert de l'oignon et émincez-le en très fines tranches. Dans un saladier, mélangez le basilic, le vert de l'oignon, du sel, du poivre, les dés de tomates, les câpres et l'huile d'olive. Gardez au frais.

▓ Pendant ce temps, faites cuire les pâtes dans un grand volume d'eau salée. Égouttez-les et servez-les très chaudes. Répartissez par-dessus le tartare de tomate et dégustez aussitôt.

VARIANTE : Ajoutez à la sauce des rondelles d'olives noires et des anneaux de calamars cuits à la vapeur.

CONSEIL : On trouve des pâtes noires toutes faites mais vous pouvez aussi les faire vous-même en ajoutant de l'encre de seiche achetée chez le poissonnier ou chez le traiteur italien que vous mélangez avec un peu de crème et ajoutez à vos pâtes.

UNE IDÉE DE MENU ÉQUILIBRÉ

Les pâtes, du jambon rôti aux herbes italien, du fromage blanc avec un peu de Nutella®.

POUR 4 PERSONNES
PRÉPARATION : 10 MIN
CUISSON : 30 MIN
DIFFICULTÉ : FACILE
COÛT : BON MARCHÉ

Galette de polenta, concassée de tomates

- 200 g de polenta précuite
- 8 tomates allongées
- 1 oignon rouge épluché et haché
- 1 petite gousse d'ail épluchée et hachée
- 1 cuil. à café de sucre
- 80 g de parmesan râpé
- 6 cuil. à soupe d'huile d'olive
- Sel, poivre

▨ Plongez les tomates 1 min dans l'eau bouillante. Épluchez-les, coupez-les en quatre et coupez la chair en dés. Dans une casserole, faites chauffer la moitié de l'huile. Ajoutez alors l'ail, l'oignon et cuisez 1 à 2 min en remuant. Mettez alors le sucre, les tomates et poursuivez la cuisson à feu doux 20 min. Assaisonnez.

▨ En suivant les indications sur le paquet, faites cuire la polenta. Ajoutez le parmesan, du sel, du poivre et versez le tout dans un grand moule à gâteau légèrement huilé. Laissez tiédir avant de démouler. Découpez des carrés ou des losanges. Faites chauffer le reste d'huile d'olive dans une grande poêle et faites-y dorer les carrés à feu moyen 5 min, de chaque côté. Servez nappé de sauce tomate.

UNE IDÉE DE MENU ÉQUILIBRÉ

La polenta, la sauce, les œufs au plat, du fromage blanc maigre avec des morceaux de fruits.

POUR 4 PERSONNES
PRÉPARATION : 10 MIN
CUISSON : 20 MIN
DIFFICULTÉ : FACILE
COÛT : BON MARCHÉ

Risotto classique

- 350 g de riz arborio
- 1 oignon nouveau haché
- 25 g de beurre
- 10 cl de vin blanc sec
- 2 bouillons cube
  de volaille délayés dans
  1 litre d'eau bouillante
- 1 dose de safran
  en poudre
- 50 g de parmesan
- 2 cuil. à soupe d'huile
  d'olive
- Sel, poivre

▓ Passez le riz sous l'eau froide 5 min afin de retirer l'excès d'amidon. Dans une grande casserole, faites cuire 2 à 3 min l'oignon avec l'huile d'olive. Lorsqu'il devient translucide, ajoutez le beurre et le riz, enrobez d'oignon et faites cuire 3 à 5 min. Versez le vin blanc et laissez réduire presque à sec. Couvrez alors d'une louche de bouillon.

▓ Lorsque tout le bouillon a été absorbé, rajoutez-en, louche par louche, jusqu'à ce que le riz ait tout absorbé. Coupez le feu, ajoutez le safran et le parmesan râpé, assaisonnez puis servez aussitôt.

VARIANTES : On peut tout mettre dans un risotto : des lamelles de truffe, des petits pois, des lardons grillés, des noisettes, des dés de tomate, du chorizo, des asperges, des champignons...

CONSEIL : C'est la recette de base du risotto italien. Vous pouvez ajouter en fin de cuisson 1 cuil. à soupe de crème fraîche épaisse pour le rendre plus onctueux.

UNE IDÉE DE MENU ÉQUILIBRÉ

Le risotto, un poisson grillé ou cuit à la vapeur et des fruits.

POUR 4 PERSONNES
PRÉPARATION : 20 MIN
CUISSON : 15 MIN
DIFFICULTÉ : FACILE
COÛT : BON MARCHÉ

Poêlée de légumes au wok

- *3 carottes*
- *2 branches de céleri*
- *4 oignons nouveaux*
- *2 courgettes*
- *1 poivron rouge*
- *100 g de pois gourmands*
- *2 cuil. à soupe de saindoux (à défaut de l'huile végétale)*
- *50 g de germes de soja*
- *2 cuil. à soupe de sauce soja*
- *Poivre*

▓ Épluchez les carottes, le céleri et les oignons. Coupez la courgette en deux dans le sens de la longueur et retirez les graines à l'aide d'une cuillère. Coupez en deux le poivron, retirez les graines et les membranes blanches. Coupez en bâtonnets les carottes, les courgettes et le poivron rouge. Coupez les oignons et le céleri.

▓ Dans un wok, faites fondre le saindoux, puis faites revenir les légumes, un à un, sans cesser de remuer, dans l'ordre suivant : oignons, céleri, carottes, poivron, courgettes, pois et germes de soja. Arrosez de sauce soja et poivrez. Faites cuire 10 à 15 min. Les légumes doivent rester croquants. Servez aussitôt.

VARIANTES : Vous pouvez varier cette recette à l'infini en utilisant des légumes de saison : poireaux, navets, céleri, haricots verts, chou chinois, chou blanc...

CONSEIL : Voilà un bon accompagnement léger pour les viandes. Sa qualité dépend de la fraîcheur des légumes que vous utilisez.

UNE IDÉE DE MENU ÉQUILIBRÉ

La poêlée de légumes, des brochettes de poulet grillées et une salade de fruits.

POUR 4 PERSONNES
PRÉPARATION : 15 MIN
CUISSON : 15 MIN
DIFFICULTÉ : FACILE
COÛT : BON MARCHÉ

Poêlée de courgettes, pois gourmands, mini-maïs, menthe et coriandre

- *4 courgettes*
- *1 boîte de mini-maïs*
- *1/2 botte de menthe*
- *1/2 botte de coriandre*
- *250 g de pois gourmands*
- *6 cuil. à soupe d'huile d'olive*
- *Sel, poivre*

▓ Retirez les bouts des courgettes et coupez-les en quatre dans le sens de la longueur. Retirez les graines qui se trouvent à l'intérieur puis coupez la chair en bâtonnets. Égouttez les mini-maïs et effeuillez la menthe et la coriandre avant de hacher grossièrement les herbes.

▓ Dans une grande poêle, faites chauffer l'huile d'olive, puis faites cuire les courgettes et les pois gourmands 10 min, à feu moyen, en remuant souvent. Vos légumes doivent être cuits mais rester croquants. Ajoutez alors les maïs et poursuivez la cuisson 5 min. Juste avant de servir, salez, poivrez, ajoutez la menthe et la coriandre.

VARIANTE : Remplacez le maïs par du brocoli cuit et des haricots verts.

CONSEIL : Vous pouvez trouver des mini-maïs frais dans les épiceries asiatiques. Dans ce cas, faites-les cuire à l'eau 5 min avant de les mettre à poêler.

UNE IDÉE DE MENU ÉQUILIBRÉ

La poêlée de légumes, du poisson grillé et des yaourts battus et mélangés avec des dés de mangue.

POUR 4 PERSONNES
PRÉPARATION : 15 MIN
CUISSON : 25 MIN
DIFFICULTÉ : FACILE
COÛT : BON MARCHÉ

Galette de légumes

- *1 botte de cerfeuil plat*
- *600 g de pommes de terre bintje*
- *2 navets*
- *2 carottes*
- *15 cl de crème fraîche épaisse*
- *2 œufs*
- *4 cuil. à soupe d'huile d'olive*
- *Sel, poivre*

▓ Nettoyez, effeuillez et hachez le cerfeuil. Épluchez les pommes de terre, les navets et les carottes, puis râpez-les finement. Pressez les légumes entre vos paumes pour retirer l'eau et déposez-les dans un saladier avec le cerfeuil. Ajoutez aux légumes le sel, le poivre, la crème et les œufs. Mélangez.

▓ Faites chauffer l'huile d'olive dans une poêle. Versez-y les légumes, tassez bien pour former une galette de taille homogène. Laissez cuire à feu doux et à couvert 15 min. Faites glisser la galette sur une grande assiette. Recouvrez l'assiette de la poêle à l'envers et retournez le tout afin d'avoir le côté cru de la galette en dessous. Laissez à nouveau cuire 10 min à feu doux. Servez immédiatement.

VARIANTE : Remplacez les navets par 2 courgettes dont vous aurez retiré le cœur et remplacez le cerfeuil par du basilic. Vous pouvez ajouter des petits dés de jambon sec.

CONSEIL : Pour cette recette, il faut choisir des pommes de terre de grosse taille qui sont assez farineuses.

UNE IDÉE DE MENU ÉQUILIBRÉ

La galette de légumes, de la viande froide, une salade et des fruits.

POUR 4 PERSONNES
PRÉPARATION : 20 MIN
CUISSON : 25 MIN
DIFFICULTÉ : FACILE
COÛT : BON MARCHÉ

Brochettes de pommes de terre et champignons au romarin

- *Une quinzaine de petites pommes de terre*
- *Une quinzaine de champignons de Paris*
- *Quelques branches de romarin*
- *6 cuil. à soupe d'huile d'olive*
- *Sel, poivre*

▥ Nettoyez sous l'eau froide les pommes de terre et les champignons. À l'aide d'une aiguille, transpercez les pommes de terre et les champignons de part en part. Passez ensuite sur les branches de romarin des pommes de terre et des champignons.

▥ Disposez les brochettes dans un plat, salez, poivrez et arrosez d'huile d'olive avant d'enfourner 25 min à 190 °C (th. 6-7). La pointe d'un couteau doit pouvoir s'enfoncer sans résistance dans les pommes de terre. Servez aussitôt.

VARIANTES : Vous pouvez remplacer les champignons ou les pommes de terre par des tomates cerise, des petits navets, des tronçons de carottes ou de courgettes…

CONSEIL : Vous pouvez ajouter aux légumes un peu d'épices du type curry, tandoori ou *ras-el-hanout*.

UNE IDÉE DE MENU ÉQUILIBRÉ

Les brochettes de légumes, de la charcuterie ou de la viande froide, une salade verte, un yaourt et des fruits.

POUR 4 PERSONNES
PRÉPARATION : 10 MIN
CUISSON : 20 MIN
DIFFICULTÉ : FACILE
COÛT : BON MARCHÉ

Poêlée de carottes au miel, poivre et zeste de citron

- 1 botte de carottes
- 1 citron jaune
- 1 cuil. à soupe de miel
- 2 pincées de poivre
  à steak
- 4 cuil. à soupe d'huile
  d'olive
- Sel

▥ Épluchez et coupez les carottes en rondelles. Nettoyez le citron et râpez la peau pour en récupérer le zeste.

▥ Dans une poêle, faites chauffer l'huile d'olive puis, faites-y cuire les carottes à feu moyen et à couvert, 10 min, en remuant souvent. Salez, poivrez et poursuivez la cuisson 5 min. Retirez alors le couvercle, ajoutez le miel et faites caraméliser les carottes à feu vif pendant 5 min. La pointe d'un couteau doit pouvoir s'enfoncer sans résistance dans les carottes. Terminez en ajoutant le zeste de citron et servez aussitôt.

VARIANTES : Vous pouvez remplacer le zeste de citron par des petits morceaux de noisettes grillées. C'est une recette qui ira aussi très bien avec des navets.

CONSEIL : Avant de mettre le miel, assurez-vous que les carottes soient cuites.

UNE IDÉE DE MENU ÉQUILIBRÉ

Les carottes, du filet mignon de porc ou des papillotes de truite, de la salade avec un peu de fromage, du pain et des fruits.

POUR 4 PERSONNES
PRÉPARATION : 15 MIN
CUISSON : 10 MIN
DIFFICULTÉ : FACILE
COÛT : BON MARCHÉ

Asperges grillées au sésame

- *1 kg de petites asperges vertes fraîches*
- *4 échalotes*
- *1/4 de botte de cerfeuil*
- *3 cuil. à soupe d'huile végétale*
- *1 cuil. à soupe de graines de sésame*
- *1 cuil. à soupe d'huile de sésame*
- *1 cuil. à soupe de sauce soja*
- *1 cuil. à café de nuoc-mâm*
- *Poivre*

▉ Épluchez les pieds des asperges vertes, coupez les bouts terreux et nettoyez-les. Dans une casserole, faites bouillir de l'eau salée et plongez-y les asperges. Faites-les cuire 5 min puis égouttez-les.

▉ Épluchez puis hachez les échalotes. Effeuillez le cerfeuil. Dans un wok ou une poêle, faites chauffer l'huile végétale. Ajoutez alors les graines de sésame et les échalotes. Mélangez bien et laissez cuire 2 min. Ajoutez alors les asperges et laissez encore cuire 2 min (la pointe d'un couteau doit pouvoir s'enfoncer sans résistance dans les asperges). Coupez le feu puis ajoutez l'huile de sésame, la sauce soja, le nuoc-mâm, le cerfeuil et du poivre. Mélangez et servez aussitôt.

VARIANTES : Vous pouvez adapter cette recette à d'autres légumes verts comme des pois gourmands, des haricots verts ou des bâtonnets de courgettes.

CONSEIL : Préférez toujours les petites asperges si vous pouvez choisir. Les grosses sont souvent plus filandreuses et dures. Elles sont aussi plus longues à cuire.

UNE IDÉE DE MENU ÉQUILIBRÉ

Les asperges, du filet mignon de porc grillé, du fromage blanc aux fruits rouges et des biscuits.

POUR 4 PERSONNES
PRÉPARATION : 15 MIN
CUISSON : 30 MIN
DIFFICULTÉ : FACILE
COÛT : BON MARCHÉ

Frites

- *2 grosses pommes de terre*
- *1 patate douce*
- *1 tranche de potiron*
- *6 cuil. à soupe d'huile végétale*
- *Sel, poivre*

▦ Épluchez les légumes et coupez-les en gros bâtonnets de 1 cm de côté.

▦ Disposez les légumes sur une plaque allant au four recouverte de papier sulfurisé. Assaisonnez-les d'huile, de sel et de poivre. Enfournez à 200 °C (th. 6-7) 30 min en les tournant une à deux fois. La pointe d'un couteau doit pouvoir s'enfoncer sans résistance dans les légumes et ils doivent être dorés.

VARIANTES : Vous pouvez réaliser la même recette avec des navets, des betteraves...

CONSEIL : Bien sûr, ce ne sont pas des frites classiques mais il n'empêche qu'elles sont très bonnes et surtout beaucoup plus légères que des frites normales.

UNE IDÉE DE MENU ÉQUILIBRÉ

Les frites, une viande ou un poisson cuit au barbecue et des fruits.

Gratin dauphinois

POUR 4 PERSONNES
PRÉPARATION : 20 MIN
CUISSON : 2 H
DIFFICULTÉ : FACILE
COÛT : BON MARCHÉ

- *1,5 kg de pommes de terre*
- *1 gousse d'ail*
- *1 petit navet*
- *1 litre de crème fraîche*
- *50 cl de lait entier*
- *1 noix de beurre*
- *1 pincée de muscade en poudre*
- *Sel, poivre*

▓ Beurrez généreusement un plat à gratin. Épluchez et hachez l'ail. Épluchez et coupez le navet en petits dés.

▓ Préchauffez le four à 190 °C (th. 6-7). Dans une casserole, mélangez le lait et la crème. Ajoutez du sel, du poivre, l'ail, le navet et la muscade. Portez à ébullition. Épluchez les pommes de terre et coupez-les en tranches de 2 à 3 mm d'épaisseur. Répartissez-les dans un plat à gratin en les tassant bien. Arrosez de la crème bouillante. Couvrez d'un papier aluminium et enfournez 1 h 20. Retirez le papier aluminium et laissez encore cuire 40 min. Les pommes de terre sont cuites lorsque la pointe d'un couteau s'y enfonce sans résistance. Servez chaud.

VARIANTES : Vous pouvez ajouter à la recette des lardons et des rondelles de carottes.

CONSEIL : C'est la vraie recette du gratin dauphinois. Il n'est pas nécessaire d'y ajouter du fromage car la crème va dorer et gratiner durant la cuisson.

UNE IDÉE DE MENU ÉQUILIBRÉ

Le gratin, une salade et des fruits.

POUR 4 PERSONNES
PRÉPARATION : 20 MIN
CUISSON : 1 H 30 MIN
DIFFICULTÉ : FACILE
COÛT : BON MARCHÉ

Gratin de légumes

- *2 aubergines*
- *2 courgettes*
- *4 gousses d'ail*
- *4 oignons nouveaux*
- *4 tomates*
- *1/2 botte de basilic*
- *4 cuil. à soupe de parmesan râpé*
- *8 cuil. à soupe d'huile d'olive*
- *Sel, poivre*

▨ Épluchez les aubergines, les courgettes, l'ail et les oignons. Retirez le pédoncule des tomates. Coupez l'ensemble de ces légumes en rondelles épaisses. Dans un grand plat allant au four, répartissez, en alternant, une tranche de courgette, une tranche d'aubergine, une tranche d'oignon, une tranche de tomate... Saupoudrez avec l'ail, le basilic effeuillé, le parmesan puis terminez en ajoutant l'huile d'olive, le sel et le poivre.

▨ Couvrez le plat d'aluminium et faites cuire au four 1 h à 190 °C (th. 6-7). Au bout de ce temps, les légumes doivent être confits et la pointe d'un couteau doit pouvoir s'y enfoncer sans résistance. Poursuivez la cuisson 30 min sans le papier aluminium.

VARIANTES : Ajoutez à la recette des lamelles de poivron et remplacez le basilic par de la ciboulette et du persil.

CONSEIL : Ce plat est encore meilleur si vous le faites la veille.

UNE IDÉE DE MENU ÉQUILIBRÉ

Le tian, un plateau de fromages et de charcuterie accompagné de salade et des fruits.

POUR 4 PERSONNES
PRÉPARATION : 10 MIN
CUISSON : 30 MIN
DIFFICULTÉ: FACILE
COÛT : BON MARCHÉ

Choutrio

- 1 tête de brocoli
- 1/4 de chou-fleur
- 1/4 de chou romanesco
- 1 botte de ciboulette
- 4 cuil. à soupe d'huile
  d'olive
- Sel, poivre

▓ Coupez les légumes pour ne garder que les fleurs. Coupez la ciboulette en tronçons de 2 cm.

▓ Portez à ébullition un grand volume d'eau salée et faites-y cuire séparément les légumes pendant 10 min chacun. Égouttez et laissez refroidir avant de les mélanger avec l'huile d'olive, la ciboulette, le sel et le poivre. Gardez au frais ou servez aussitôt.

VARIANTES : Vous pouvez remplacer un des légumes par des tomates cerise, des radis, des haricots, des petits pois, des fèves...

CONSEIL : Il faut que les légumes soient cuits mais restent tout de même croquants, cela sera bien meilleur lorsque vous les mangerez froid.

UNE IDÉE DE MENU ÉQUILIBRÉ

Le trio de choux, du poisson fumé accompagné d'une sauce au fromage blanc, au raifort et à l'aneth et des fruits rouges.

POUR 4 PERSONNES
PRÉPARATION : 5 MIN
CUISSON : 40 MIN
REPOS : 10 MIN
DIFFICULTÉ : FACILE
COÛT : BON MARCHÉ

Oignons et échalotes rôtis

- *250 g d'oignons de petite taille*
- *250 g d'échalotes grises*
- *4 cuil. à soupe d'huile d'olive*
- *Sel, poivre*

▦ Préchauffez le four à 200 °C (th. 6-7). Mettez les échalotes et les oignons avec la peau dans un plat allant au four, arrosez d'huile d'olive puis saupoudrez de sel et de poivre.

▦ Enfournez 40 min les échalotes et les oignons. Laissez ensuite 10 min dans le four éteint avant de servir. Vous dégusterez le cœur des échalotes et des oignons après avoir retiré la peau brûlée.

VARIANTES : Faites la même chose avec des gousses d'ail ou des oignons grelots.

CONSEIL : C'est un accompagnement idéal pour des viandes grillées ou des rôtis.

UNE IDÉE DE MENU ÉQUILIBRÉ

Les légumes rôtis, une salade d'endives aux noix et au roquefort et des fruits.

POUR 4 PERSONNES
PRÉPARATION : 20 MIN
CUISSON : 2 H
DIFFICULTÉ : FACILE
COÛT : BON MARCHÉ

Tomates confites

– *Une douzaine de tomates roma*
– *4 gousses d'ail*
– *2 branches de thym*
– *1 cuil. à soupe de sucre*
– *10 cuil. à soupe d'huile d'olive*
– *Sel, poivre*

■ Plongez les tomates 1 min dans l'eau bouillante, épluchez-les puis coupez-les en deux pour retirer les graines. Écrasez les gousses d'ail avec la peau.

■ Sur une plaque allant au four, disposez les tomates sur un lit de thym et d'ail. Saupoudrez de sucre, de sel, de poivre et d'huile d'olive. Enfournez à 100 °C (th. 3-4) pendant 2 h en arrosant aussi souvent que possible d'huile d'olive et du jus de cuisson. Servez chaud ou froid.

VARIANTES : Si vous le pouvez, utilisez des tomates de différentes formes et couleurs.

CONSEILS : Pour ma part, je préfère servir ces tomates confites froides le lendemain. Elles se gardent très bien pendant plusieurs jours au frigo avec l'huile, l'ail et le thym. N'hésitez donc pas à en faire de grosses quantités.

UNE IDÉE DE MENU ÉQUILIBRÉ

Du poulet rôti ou du gigot froid accompagné des tomates confites, une salade rougette de Provence, du fromage de chèvre, du pain grillé et des fruits.

POUR 4 PERSONNES
PRÉPARATION : 15 MIN
CUISSON : 45 MIN
DIFFICULTÉ : FACILE
COÛT : BON MARCHÉ

Ratatouille classique

- *2 oignons rouges*
- *2 gousses d'ail*
- *2 poivrons rouges*
- *2 courgettes*
- *2 aubergines*
- *4 tomates*
- *1 branche de thym*
- *1 branche de romarin*
- *6 cuil. à soupe d'huile d'olive*
- *Sel, poivre*

■ Épluchez et coupez en petits dés les oignons et l'ail. Ôtez les pédoncules et les graines des poivrons et coupez-les en petits dés. Épluchez et coupez en petits dés les courgettes et les aubergines. Plongez les tomates 1 min dans l'eau bouillante, pelez-les et hachez-les.

■ Dans une grande casserole, faites chauffer l'huile d'olive. Versez les poivrons, les oignons et l'ail. Laissez cuire 5 à 6 min, en remuant souvent. Ajoutez les courgettes. Laissez cuire 5 min avant d'ajouter les aubergines. Attendez 5 min avant d'ajouter les tomates. Mettez le thym, le romarin, du sel et du poivre. Mélangez, baissez le feu et couvrez pour laisser cuire 15 min. Ôtez le couvercle et laissez cuire 15 min.

VARIANTE : Ajoutez dès le départ 1 bulbe de fenouil très finement coupé dans la ratatouille et 1 dose de safran en poudre en fin de cuisson.

CONSEIL : La ratatouille est aussi bonne froide que chaude. C'est pourquoi je vous conseille d'en faire plus que prévu, cela vous fera un autre repas.

UNE IDÉE DE MENU ÉQUILIBRÉ

La ratatouille, une omelette nature, une salade, un peu de fromage et des fruits.

POUR 6 PERSONNES
PRÉPARATION : 15 MIN
CUISSON : 25 MIN
DIFFICULTÉ : FACILE
COÛT : BON MARCHÉ

Mélange de légumes verts à la roquette

- 2 courgettes
- 300 g de haricots verts
- 300 de pois gourmands
- 300 g de brocolis
- 1 échalote
- 50 g de roquette
- 6 cuil. à soupe d'huile végétale
- 6 cuil. à soupe d'huile d'olive
- Sel, poivre

▓ Épluchez et coupez en quatre dans la longueur les courgettes. Retirez les graines puis coupez-les en bâtonnets de la même taille que les haricots verts. Épluchez et hachez l'échalote. Équeutez les haricots verts et coupez les brocolis pour ne garder que la pointe.

▓ Dans un wok ou une poêle, faites revenir, un à un, à couvert les légumes, pendant 5 à 8 min chacun, dans un peu d'huile végétale. Salez et poivrez. Les légumes doivent être cuits mais rester croquants et bien verts. Mettez-les ensuite dans une passoire pour retirer l'excédent de gras. Quand tous les légumes sont cuits, mélangez-les à la roquette. Vérifiez l'assaisonnement et ajoutez l'huile d'olive. Servez rapidement.

VARIANTES : La salade de légumes verts est un plat très apprécié que vous pouvez agrémenter avec des petits pois, des fèves fraîches, de la mâche, du basilic...

CONSEIL : Si vous désirez mettre un peu de couleur, ajoutez des lanières de tomate, un peu de carottes râpées ou quelques grains de maïs.

UNE IDÉE DE MENU ÉQUILIBRÉ

La salade de légumes verts, des toasts de pain de campagne au saumon fumé, du fromage frais et des fruits en dessert.

POUR 4 PERSONNES
PRÉPARATION : 10 MIN
CUISSON : 2 H
REPOS : 20 MIN
DIFFICULTÉ : FACILE
COÛT : BON MARCHÉ

Céleri en croûte de sel

- *2 petites boules de céleri*
- *3 kg de gros sel gris de mer*

▦ Brossez les céleris pour retirer la terre et coupez les gros morceaux de racine.

▦ Dans un plat allant au four, mettez 1 kg de sel. Posez dessus les boules de céleri et couvrez-les du reste de gros sel. Enfournez à 200 °C (th. 6-7) pendant 2 h. Laissez ensuite reposer 20 min dans le four. Débarrassez bien le céleri du gros sel avant de le couper en quartiers et de le servir.

VARIANTE : Vous n'aimez pas les betteraves, et bien essayez donc de les cuire de cette façon en ne prévoyant que 1 h 20 de cuisson. Vous changerez peut-être d'avis.

CONSEIL : Choisissez vraiment des petits céleris car les grosses boules seront littéralement impossibles à cuire.

UNE IDÉE DE MENU ÉQUILIBRÉ

Le céleri cuit en croûte de sel, du fromage, de la charcuterie, de la salade et des fruits.

POUR 4 PERSONNES
PRÉPARATION : 15 MIN
CUISSON : 40 MIN
DIFFICULTÉ : FACILE
COÛT : BON MARCHÉ

Gratin de courgettes

- *1 kg de courgettes*
- *2 boules de mozzarella di bufala*
- *25 cl de crème liquide*
- *4 cuil. à soupe d'huile d'olive*
- *1 pincée de muscade en poudre*
- *Sel, poivre*

▓ Lavez, égouttez les courgettes, coupez-les en deux dans la longueur et retirez les graines. Coupez la chair en tranches d'un demi-centimètre d'épaisseur. Faites chauffer l'huile d'olive dans une cocotte. Faites-y revenir les courgettes 15 min, en remuant souvent. Disposez-les dans un tamis afin de bien les égoutter.

▓ Coupez la mozzarella en tranches épaisses. Préchauffez le four à 220 °C (th. 7-8). Dans un bol, mélangez la crème avec du sel, du poivre et la muscade. Fouettez énergiquement pour homogénéiser. Disposez les courgettes dans un plat à gratin et recouvrez-les avec la crème. Couvrez de tranches de mozzarella et enfournez 25 min jusqu'à ce que le gratin dore. Servez chaud.

VARIANTE : Vous pouvez remplacer la mozzarella par du parmesan.

CONSEIL : Je vous recommande vivement de faire cuire les courgettes dans un premier temps avec l'huile et non pas à l'eau et de les égoutter le plus longtemps possible, le gratin n'en sera que plus savoureux.

UNE IDÉE DE MENU ÉQUILIBRÉ

Le gratin de courgettes, un rosbif, de la salade et des fruits.

POUR 4 PERSONNES
PRÉPARATION : 15 MIN
CUISSON : 45 MIN
DIFFICULTÉ : FACILE
COÛT : BON MARCHÉ

Terrine de carottes

- *1 kg de carottes*
- *1 gousse d'ail*
- *1 botte de cerfeuil*
- *1 cube de bouillon de volaille*
- *80 g de comté râpé*
- *4 œufs*
- *Sel, poivre du moulin*

▓ Épluchez les carottes et l'ail. Coupez-les en rondelles de 1 cm. Hachez l'ail et le cerfeuil. Dans une casserole, versez les rondelles de carottes, l'ail, le cube de bouillon et 50 cl d'eau. Faites cuire jusqu'à évaporation complète de l'eau.

▓ Écrasez les carottes au presse-purée ou au moulin à légumes. Ajoutez le comté, les œufs et le cerfeuil. Salez, poivrez et mélangez. Versez la purée de carottes dans un moule à cake, déposez-le dans un plat à moitié rempli d'eau bouillante et enfournez 45 min à 190 °C (th. 6-7). La pointe d'un couteau plantée au centre doit ressortir propre. Laissez refroidir avant de démouler et servez froid.

VARIANTE : Ajoutez dans la terrine des morceaux de noisettes grillées.

CONSEILS : C'est une recette simple mais originale. Vous pouvez l'accompagner de coulis de champignons ou d'asperges. Vous pouvez la servir froide ou tiède.

UNE IDÉE DE MENU ÉQUILIBRÉ

La terrine, de la salade, un peu de fromage avant de terminer par une mousse au chocolat.

POUR 4 PERSONNES
PRÉPARATION : 10 MIN
CUISSON : 20 MIN
REPOS : 2 H
DIFFICULTÉ : FACILE
COÛT : BON MARCHÉ

Salade de poires pochées aux épices et à la grenade

- *4 poires conférence*
- *1 litre de sirop à la vanille (voir recette p. 177)*
- *1 grenade*
- *1 bâton de cannelle*
- *De l'anis étoilé*

■ Épluchez les poires et faites-les cuire 20 min dans une casserole avec le sirop à la vanille, la cannelle et l'anis. La pointe d'un couteau doit pouvoir s'enfoncer sans résistance dans les poires. Coupez la grenade en deux et retirez délicatement les graines qui sont bien rouges.

■ Laisser refroidir les poires au frais 2 h minimum. Au moment de servir, récupérez le sirop, disposez les poires dans un bol et servez à côté le sirop dans lequel vous ajouterez les graines de grenade.

VARIANTES : Pensez aussi à des poires cuites dans un sirop au vin rouge et accompagnées de pain d'épice frais.

CONSEIL : Choisissez des grenades bien rouges, ce sera le signe qu'elles sont mûres. En ce qui concerne les poires, vous pouvez aussi prendre des williams ou des comices.

UNE IDÉE DE MENU ÉQUILIBRÉ

Un plat en sauce, des pâtes fraîches et les poires pochées.

POUR 4 PERSONNES
PRÉPARATION : 10 MIN
CUISSON : 10 MIN
DIFFICULTÉ : FACILE
COÛT : BON MARCHÉ

Bananes flambées

- *4 bananes*
- *1 cuil. à soupe d'amandes effilées*
- *25 g de beurre demi-sel*
- *25 g de cassonade*
- *5 cl de rhum blanc*

▓ Dans une poêle sans matières grasses, faites revenir les amandes jusqu'à ce qu'elles dorent. Dès qu'elles commencent à colorer, retirez-les immédiatement du feu et de la poêle. Épluchez les bananes. Dans une poêle, faites fondre le beurre avec la cassonade. Lorsque le sucre commence à caraméliser, ajoutez les bananes et enrobez-les bien.

▓ Faites cuire à feu doux pendant 5 min et retournez-les. Laissez encore cuire 5 min en les arrosant de temps en temps avec le jus de cuisson. Versez le rhum et flambez avant de servir. Décorez avec les amandes effilées.

VARIANTES : Vous pouvez faire la même recette avec des rondelles d'ananas frais ou des quartiers de pommes.

CONSEIL : Faites attention lorsque vous flambez le rhum car la flamme peut vite prendre de la hauteur.

UNE IDÉE DE MENU ÉQUILIBRÉ

Une viande ou un poisson grillé, des légumes verts ou de la salade et les bananes flambées.

POUR 4 PERSONNES
PRÉPARATION : 20 MIN
CUISSON : 30 MIN
DIFFICULTÉ : FACILE
COUT : BON MARCHÉ

Tarte aux quetsches et crème d'amande

- *500 g de pâte sablée (voir recette p. 170)*
- *400 g de crème d'amande (voir recette p. 177)*
- *500 g de quetsches*

▥ Étalez la pâte sablée dans un moule à tarte garni de papier sulfurisé. Étalez ensuite au centre de la tarte la crème d'amande. Coupez les fruits en deux et retirez le noyau. Disposez-les en cercle sur le fond de tarte, le côté bombé vers le bas et de façon à ce qu'ils se chevauchent légèrement.

▥ Enfournez la tarte 30 min à 190 °C (th.6-7). La pointe d'un couteau doit pouvoir s'enfoncer sans résistance dans les fruits. La crème d'amande doit commencer à légèrement brunir et la pâte à dorer. Si ce n'est pas le cas, poursuivez la cuisson jusqu'à ce que vous obteniez ce résultat. Sortez du four, laissez refroidir avant de démouler la tarte.

VARIANTES : Vous pouvez faire la même recette en remplaçant les quetsches par des abricots, des prunes, des reines-claudes ou des mirabelles.

CONSEIL : Si vous désirez, vous pouvez saupoudrer vos fruits d'un peu de sucre en fin de cuisson et passer la tarte sous le gril du four pour les caraméliser.

UNE IDÉE DE MENU ÉQUILIBRÉ

Une soupe, une salade avant de terminer le repas en beauté par la tarte.

POUR 4 PERSONNES
PRÉPARATION : 10 MIN
DIFFICULTÉ : FACILE
COUT : BON MARCHÉ

Salade de pêches, abricots et framboises

- *2 pêches*
- *4 abricots*
- *1 barquette de framboises*
- *1 verre de sirop à la vanille (voir recette p. 177)*
- *Quelques zestes de citron vert*

▥ Épluchez les pêches et coupez-les en huit. Nettoyez les framboises. Coupez les abricots en quatre.

▥ Dans un saladier, mélangez les pêches, les abricots, les framboises et le sirop de vanille. Gardez au frais ou servez immédiatement. Ajoutez les zestes en décoration.

VARIANTES : Optez aussi pour des pêches jaunes, des pêches blanches, du sirop à la vanille et un peu de vin blanc.

CONSEIL : Si vous avez du mal à éplucher les pêches, ébouillantez-les 1 min, cela vous facilitera grandement le travail.

UNE IDÉE DE MENU ÉQUILIBRÉ

Un barbecue avec une salade de pommes de terre et une salade verte puis la salade de fruits.

POUR 4 PERSONNES
PRÉPARATION : 20 MIN
CUISSON : 30 MIN
DIFFICULTÉ : FACILE
COUT : BON MARCHÉ

Tarte aux quetsches et crème d'amande

– 500 g de pâte sablée
(voir recette p. 170)
– 400 g de crème d'amande
(voir recette p. 177)
– 500 g de quetsches

▓ Étalez la pâte sablée dans un moule à tarte garni de papier sulfurisé. Étalez ensuite au centre de la tarte la crème d'amande. Coupez les fruits en deux et retirez le noyau. Disposez-les en cercle sur le fond de tarte, le côté bombé vers le bas et de façon à ce qu'ils se chevauchent légèrement.

▓ Enfournez la tarte 30 min à 190 °C (th.6-7). La pointe d'un couteau doit pouvoir s'enfoncer sans résistance dans les fruits. La crème d'amande doit commencer à légèrement brunir et la pâte à dorer. Si ce n'est pas le cas, poursuivez la cuisson jusqu'à ce que vous obteniez ce résultat. Sortez du four, laissez refroidir avant de démouler la tarte.

VARIANTES : Vous pouvez faire la même recette en remplaçant les quetsches par des abricots, des prunes, des reines-claudes ou des mirabelles.

CONSEIL : Si vous désirez, vous pouvez saupoudrer vos fruits d'un peu de sucre en fin de cuisson et passer la tarte sous le gril du four pour les caraméliser.

UNE IDÉE DE MENU ÉQUILIBRÉ

Une soupe, une salade avant de terminer le repas en beauté par la tarte.

POUR 4 PERSONNES
PRÉPARATION : 20 MIN
CUISSON : 30 MIN
REPOS : 10 MIN
DIFFICULTÉ : FACILE
COÛT : BON MARCHÉ

Tarte Tatin à l'ananas

- *1 ananas victoria*
- *150 g de sucre semoule*
- *1 portion de pâte sablée*
  (voir recette p. 170)

▨ Dans un moule à gâteau pouvant aller sur le feu, versez le sucre. Mettez sur le feu et faites fondre le sucre en un caramel brun. Retirez immédiatement du feu et laissez refroidir. Épluchez l'ananas avec un couteau à pain en enlevant bien tous les yeux noirs (petits morceaux d'écorce). Coupez ensuite l'ananas en tranches et disposez-les en rosace sur le caramel. Étalez la pâte et déposez-la sur les rondelles d'ananas en faisant un trou de la taille d'un doigt au centre qui servira de cheminée.

▨ Enfournez 30 min à 180 °C (th. 6). La pâte doit alors être bien dorée et vous devez voir du caramel déborder légèrement du trou au centre. Laissez alors reposer 10 min avant de sortir la tarte du four et de la retourner sur un plat à tarte. Servez tiède.

VARIANTES : Remplacez l'ananas par de la mangue, des poires ou des pommes.

CONSEIL : Si vous voyez que la pâte dore trop vite, n'hésitez pas à la couvrir avec du papier aluminium.

UNE IDÉE DE MENU ÉQUILIBRÉ

Une salade, de la viande froide ou du poisson froid et la tarte Tatin.

POUR 4 PERSONNES
PRÉPARATION : 10 MIN
CUISSON : 20 MIN
REPOS : 10 MIN
DIFFICULTÉ : TRÈS FACILE
COÛT : BON MARCHÉ

Pommes rôties aux mendiants de fruits secs

- *4 pommes golden*
- *8 carrés de chocolat*
- *100 g d'un assortiment de fruits secs (raisins, abricots, pruneaux...)*
- *4 petites tranches de pain d'épice*

▨ Retirez le coeur des pommes avec un vide-pomme par la base. Concassez grossièrement le chocolat et mélangez-le avec l'assortiment de fruits secs. Farcissez les pommes avec ce mélange.

▨ Dans un plat allant au four, posez les pommes sur les tranches de pain d'épice et enfournez-les 20 min à 190 °C (th. 6-7). Laissez refroidir 10 min avant de servir.

VARIANTES : Faites la même recette avec des poires ou remplacez le mélange de fruits secs par des noisettes ou des amandes caramélisées.

CONSEIL : Si vous ne possédez pas de vide-pomme, il vous suffit d'utiliser un couteau économe.

UNE IDÉE DE MENU ÉQUILIBRÉ

De la viande rôtie, une salade de légumes verts, un peu de fromage et les pommes rôties.

POUR 4 PERSONNES
PRÉPARATION : 20 MIN
CUISSON : 30 MIN
DIFFICULTÉ : FACILE
COÛT : BON MARCHÉ

Crumble pommes et rhubarbe

- 4 pommes golden
- 25 g de beurre demi-sel
- 25 g de cassonade
- 4 tiges de rhubarbe
- 200 g de pâte à crumble
(voir recette p. 171)

▓ Épluchez les pommes, coupez-les en quatre, retirez le cœur puis détaillez-les en gros morceaux. Dans une poêle, faites fondre le beurre et la cassonade puis ajoutez les pommes. Faites revenir 10 min, en remuant souvent. Nettoyez la rhubarbe et coupez-la en tronçons.

▓ Dans un petit plat à gratin, versez les fruits et recouvrez de la pâte à crumble. Enfournez 20 min à 180 °C (th. 6). La pâte doit bien dorer mais surtout ne pas brunir car elle deviendrait amère.

VARIANTES : Pensez aussi à un crumble pommes et framboises, un crumble prunes et canelle, un crumble pommes et mirabelles...

CONSEIL : Pour encore plus de goût, vous pouvez ajouter aux pommes un peu de cannelle ou de vanille en poudre.

UNE IDÉE DE MENU ÉQUILIBRÉ

Une assiette de viandes froides, de la salade verte et le crumble avec une boule de glace vanille.

POUR 4 PERSONNES
PRÉPARATION : 20 MIN
CUISSON : 45 MIN
DIFFICULTÉ : FACILE
COUT : BON MARCHÉ

Gâteau à l'orange et au pavot

- *180 g de beurre*
- *1 orange*
- *3 œufs*
- *180 g de sucre*
- *1 cuil. à café de pavot bleu*
- *180 g de farine*
- *Sel*

▨ Faites fondre le beurre. Nettoyez l'orange, râpez la peau pour récupérer le zeste et pressez le jus. Préchauffez le four à 190 °C (th. 6-7). Séparez les blancs des jaunes d'œufs. Montez les blancs en neige avec 1 pincée de sel. Dans un saladier, battez les jaunes avec le sucre. Ajoutez le beurre, le pavot, le jus et le zeste d'orange. Mélangez avant de verser la farine. Incorporez délicatement le tiers des blancs. Terminez en versant le reste des blancs et mélangez délicatement pour avoir une pâte homogène.

▨ Beurrez un moule à gâteau. Versez la pâte et enfournez 45 min. Le gâteau doit être gonflé et doré. La pointe d'un couteau plantée au milieu doit ressortir propre. Laissez tiédir, démoulez et laissez refroidir.

VARIANTES : Aromatisez le gâteau avec de la vanille, le zeste de 2 citrons verts et leurs jus ou 2 fruits de la passion avec leur jus.

UNE IDÉE DE MENU ÉQUILIBRÉ

Une soupe froide type gaspacho, de la salade et ce merveilleux gâteau.

POUR 4 PERSONNES
PREPARATION : 10 MIN
CUISSON : 25 MIN
DIFFICULTÉ : FACILE
COÛT : BON MARCHÉ

Tarte fine rustique aux pommes

- *4 pommes golden*
- *1 rouleau de pâte feuilletée*
- *2 cuil. à soupe de cassonade*
- *25 g de beurre demi-sel*

▧ Épluchez les pommes et coupez-les en quatre afin de retirer le coeur. Coupez ensuite chaque quartier en fines tranches. Étalez la pâte feuilletée sur une plaque allant au four garnie de papier sulfurisé. Répartissez en rosace les pommes. Saupoudrez de cassonade et de petits morceaux de beurre.

▧ Enfourner à 190 °C (th. 6-7) pendant 25 min. La pâte doit gonfler et dorer et les pommes doivent caraméliser. Retirez alors la plaque du four, laissez légèrement tiédir et servez aussitôt.

VARIANTES : Remplacez les pommes par des poires et des amandes effilées.

CONSEIL : Servez la tarte accompagnée d'une bonne boule de glace à la vanille.

UNE IDÉE DE MENU ÉQUILIBRÉ

Une soupe (froide ou chaude selon la saison), une salade et la tarte fine.

POUR 4 PERSONNES
PRÉPARATION : 15 MIN
CUISSON : 20 MIN
REPOS : 1 H
DIFFICULTÉ : FACILE
COÛT : BON MARCHÉ

Crêpes sucrées

- *250 g de farine de froment*
- *1 gousse de vanille*
- *1 pincée de sel*
- *40 g de sucre*
- *50 cl de lait*
- *3 œufs*
- *50 g de beurre fondu*

▓ Coupez la gousse de vanille dans la longueur. Récupérez les graines à l'intérieur. Dans un saladier, mélangez la farine, le sel et le sucre. Dans un bol, fouettez le lait, les graines de vanille, les œufs et versez sur la farine en mélangeant. Passez la pâte au travers d'un tamis et ajoutez-y le beurre fondu. Mélangez bien et laissez reposer 1h au frais.

▓ Faites chauffer votre crêpière que vous graisserez, au fur et à mesure, avec un papier absorbant imbibé d'huile végétale puis, versez une petite louche de pâte. Répartissez-la sur toute la surface. Retournez la crêpe après 1 ou 2 min et laissez cuire 1 ou 2 min.

▓ Agrémentez les crêpes, à votre goût, avec des confitures, des fruits frais, des épices, du chocolat fondu, de la cassonade et du citron vert, du rhum...

UNE IDÉE DE MENU ÉQUILIBRÉ

Une omelette, une salade verte ou des crudités et plein, plein, plein de crêpes.

POUR 4 PERSONNES
PRÉPARATION : 10 MIN
CUISSON : 20 MIN
DIFFICULTÉ : FACILE
COÛT : BON MARCHÉ

Moelleux au chocolat

- *125 g de beurre*
- *200 g de chocolat noir à 60 %*
- *175 g de cassonade*
- *70 g de farine*
- *3 œufs extra-frais*
- *Huile pour les moules*
- *Sel*

■ Préchauffez le four à 200 °C (th. 6-7). Dans une casserole, faites fondre le beurre avec 1 pincée de sel. Ajoutez le chocolat, laissez-le fondre et mélangez pour obtenir une préparation homogène. Ôtez du feu puis ajoutez la cassonade et la farine. Ajoutez ensuite les œufs, un à un, en mélangeant chaque fois.

■ Graissez un moule à cake, ou à gâteau, puis versez la pâte aux deux-tiers de la hauteur et enfournez 20 min. Dès que le moelleux commence à gonfler et à se craqueler sur le dessus, sortez-le du four pour qu'il reste liquide à cœur. Laissez refroidir avant de démouler délicatement.

VARIANTES : Ajoutez dans la pâte 1 cuil. à café de vanille en poudre ou 1 cuil. à café de Nescafé.

CONSEIL : Si vous le pouvez, faites ce gâteau la veille pour le lendemain, il sera encore meilleur.

UNE IDÉE DE MENU ÉQUILIBRÉ

Une soupe, une petite salade, un yaourt et du moelleux.

POUR 4 PERSONNES
PRÉPARATION : 15 MIN
CUISSON : 10 MIN
REPOS : 2 H
DIFFICULTÉ : FACILE
COÛT : BON MARCHÉ

Mousse au chocolat

- *180 g de chocolat noir à 64 % minimum*
- *15 cl de crème liquide entière*
- *20 g de beurre*
- *3 œufs*
- *20 g de sucre*
- *Sel*

▥ Concassez le chocolat. Dans une casserole, faites bouillir la crème et versez-la sur le chocolat. Attendez 1 à 2 min puis, mélangez afin d'avoir un chocolat fondu et homogène. Ajoutez le beurre coupé en petits dés et mélangez afin de le faire fondre.

▥ Séparez les blancs des jaunes d'œufs et montez les blancs en neige avec le sucre et 1 pincée de sel. Quand ils sont fermes, ajoutez les jaunes et mélangez.

▥ Versez un tiers des œufs dans le chocolat. Fouettez vigoureusement et versez sur les œufs. Mélangez délicatement la mousse jusqu'à ce qu'elle soit homogène. Gardez au frais 2 h au minimum avant de déguster.

VARIANTES : Ajoutez dans la mousse une pointe de Nescafé lorsque vous faites bouillir la crème ou de la vanille en poudre.

CONSEIL : Vous pouvez alléger cette recette en utilisant du lait plutôt que de la crème.

UNE IDÉE DE MENU ÉQUILIBRÉ

Un gratin de légumes, de la salade et de la mousse au chocolat.

POUR 4 PERSONNES
PRÉPARATION : 15 MIN
CUISSON : 10 MIN
REPOS : 3 H 30
DIFFICULTÉ : FACILE
COÛT : BON MARCHÉ

Panna cotta

- 1 gousse de vanille
- 50 g de sucre semoule
- 50 cl de crème fleurette
- 3 feuilles de gélatine
  ou 2 g d'agar-agar

Pour le coulis
de framboises
- 200 g de framboises
- Le jus de 1/2 citron jaune
- 1 cuil. à soupe de sucre
  semoule

▥ Incisez la gousse dans la longueur. Dans une casserole, versez la gousse, le sucre et la crème. Portez à ébullition, laissez infuser 30 min et ôtez la gousse. Faites tremper les feuilles de gélatine dans l'eau froide ou déliez l'agar-agar dans un peu d'eau. Faites à nouveau chauffer la crème et ajoutez la gélatine avant de couper le feu. Si vous utilisez de l'agar-agar, portez une nouvelle fois à ébullition. Versez la crème au travers d'un tamis dans de jolis verres et laissez prendre au moins 3 h 30 au frais.

▥ Nettoyez les framboises. Mixez le jus de citron avec le sucre et les framboises. Portez le mélange à ébullition. Laissez refroidir. Sortez les panna cotta du réfrigérateur et couvrez-les du coulis de framboises avant de servir.

VARIANTES : Remplacez les framboises par d'autres fruits rouges : fraises, mûres, groseilles, cerises...

CONSEIL : Nettoyez les fruits, ils sont traités avec des conservateurs après les récoltes.

UNE IDÉE DE MENU ÉQUILIBRÉ

Une papillote de poisson avec des légumes et la panna cotta.

POUR 4 PERSONNES
PRÉPARATION : 15 MIN
CUISSON : 45 MIN
DIFFICULTÉ : FACILE
COÛT : BON MARCHÉ

Le vrai *cheesecake*

- *1 citron jaune non traité*
- *600 g de fromage frais type St Môret*
- *150 g de sucre*
- *10 cl de crème*
- *1 œuf*
- *2 jaunes d'œufs*
- *1 cuil. à café de vanille en poudre*

Pour la pâte
- *50 g de beurre*
- *125 g de spéculoos*

▓ Mixez dans un robot le beurre avec les spéculoos. Répartissez cette pâte dans le fond d'un moule à tarte garni de papier sulfurisé.

▓ Râpez la peau du citron pour récupérer les zestes et pressez le jus. Mélangez tous les ingrédients dans un saladier afin d'obtenir un mélange homogène. Versez cette préparation sur la pâte et enfournez à 180 °C (th. 6) pendant 45 min. Le gâteau doit gonfler et se colorer sur le dessus. Sortez le *cheesecake* du four, laissez reposer et refroidir avant de démouler et de servir.

VARIANTES : Remplacez le citron jaune par des framboises, du citron vert, des fruits de la passion...

CONSEIL : Servez le gâteau accompagné de coulis de fruits rouges ou de coulis d'abricots.

UNE IDÉE DE MENU ÉQUILIBRÉ

Des crudités, de la viande froide, un bagel et le *cheesecake* comme à New-York.

POUR 4 PERSONNES
PREPARATION : 20 MIN
CUISSON : 40 MIN
DIFFICULTÉ : FACILE
COÛT : BON MARCHÉ

Quatre-quarts aux pêches

- 4 pêches jaunes
- 180 g de beurre
- 3 œufs
- 180 g de sucre
- 180 g de farine
- Sel

▓ Faites fondre le beurre. Épluchez les pêches et coupez-les en huit quartiers. Préchauffez le four à 190°C (th. 6-7). Séparez les blancs des jaunes d'œufs. Montez les blancs en neige avec 1 pincée de sel. Dans un saladier, battez les jaunes avec le sucre jusqu'à ce que le mélange blanchisse. Ajoutez le beurre. Mélangez bien avant de verser la farine. Incorporez délicatement le tiers des blancs. Terminez en versant le reste des blancs et mélangez doucement pour obtenir une pâte homogène.

▓ Beurrez un moule à cake. Versez la pâte, répartissez dessus les quartiers de pêches et enfournez 40 min. Le gâteau doit être gonflé et doré. La pointe d'un couteau planté au milieu doit ressortir propre. Laissez tiédir, démoulez et laissez refroidir.

VARIANTES : Remplacez les pêches par des poires et aromatisez la pâte avec de la vanille, de la cannelle, du gingembre en poudre...

CONSEIL : Badigeonnez le gâteau de gelée de coing fondue ou de sirop à la vanille.

UNE IDÉE DE MENU ÉQUILIBRÉ

Une salade verte, de la charcuterie maigre (jambon, viande des Grisons...) et le gâteau.

Boîte à outils

Les recettes basiques

POUR 1 TARTE
PRÉPARATION : 10 MIN

Pâte brisée

Dans un saladier, mélangez du bout des doigts la farine et le beurre. Il faut que le mélange devienne sableux. Ajoutez alors le lait, le sel et mélangez pour obtenir une pâte homogène. Étalez la pâte et disposez-la dans un moule à tarte antiadhésif.

- *250 g de farine*
- *125 g de beurre*
- *5 cl de lait*
- *1 pincée de sel*

VARIANTES : Si vous rajoutez 1 botte d'herbes fraîches au choix (basilic, estragon, sauge…) vous aurez une pâte brisée aux herbes.

Pâte à pizza

POUR 1 PIZZA
PRÉPARATION : 10 MIN
REPOS : 30 MIN

▨ Dans un saladier, déliez la levure avec le lait chaud et le sucre. Ajoutez la farine, l'huile d'olive, le sel, le thym et, sans cesser de mélanger, versez petit à petit de l'eau tiède pour obtenir une pâte homogène qui ne colle plus aux parois du saladier. Laissez reposer 30 min afin que la pâte double de volume, puis étalez-la et garnissez-la.

– 20 g de levure fraîche
– 5 cl de lait chaud
– 1 cuil. à café de sucre
– 250 g de farine
– 2 cuil. à soupe d'huile
  d'olive
– 1 pincée de thym
  ou d'origan
– 1 pincée de sel

Pâte sablée

POUR 1 TARTE
PRÉPARATION : 10 MIN

▨ Dans un saladier, mélangez la farine, le sucre et le sel. Ajoutez l'œuf et mélangez jusqu'à ce que vous obteniez une pâte sableuse homogène. Ajoutez alors le beurre coupé en petits morceaux et intégrez-le à la pâte du bout des doigts jusqu'à ce que vous ayez un ensemble homogène qui n'adhère plus aux parois du saladier. Étalez la pâte et disposez-la dans un moule à tarte antiadhésif.

– 250 g de farine
– 125 g de sucre
– 1 œuf
– 125 g de beurre
– 1 pincée de sel

Pâte sucrée

POUR 1 TARTE
PRÉPARATION : 10 MIN

▓ Dans un saladier, mélangez la farine, la poudre d'amandes, le sucre et le sel. Ajoutez l'œuf et mélangez jusqu'à ce que vous obteniez une pâte sableuse homogène. Ajoutez alors le beurre coupé en petits morceaux et intégrez-le à la pâte du bout des doigts jusqu'à ce que vous ayez un ensemble homogène qui n'adhère plus aux parois du saladier. Étalez la pâte et disposez-la dans un moule à tarte antiadhésif.

- *200 g de farine*
- *100 g de poudre d'amandes*
- *100 g de sucre*
- *1 œuf*
- *130 g de beurre*
- *1 pincée de sel*

Pâte à crumble

POUR 1 TARTE
PRÉPARATION : 10 MIN

▓ Mélangez tous les ingrédients à l'aide d'une spatule afin d'obtenir un mélange sableux et homogène qui commence à se lier en faisant des petites boules de pâte.

- *50 g d'amandes effilées*
- *50 g de cassonade*
- *50 g de beurre à température ambiante*
- *50 g de farine*
- *1 pincée de sel*

Vinaigrette classique

PRÉPARATION : 5 MIN

▦ Dans un bol, versez le vinaigre. Délayez un peu de sel. Ajoutez du poivre puis la moutarde. Mélangez à l'aide d'une fourchette pour émulsionner. Versez pour finir l'huile. Émulsionnez à nouveau.

- *2 cuil. à soupe de vinaigre de vin*
- *1 cuil. à soupe de moutarde mi-forte*
- *6 cuil. à soupe d'huile de tournesol ou d'arachide*
- *Sel, poivre*

Vinaigrette aux agrumes

PRÉPARATION : 5 MIN

▦ Pressez le pomelo. Dans un bol, déliez le safran avec le jus, salez, poivrez, puis versez l'huile. Émulsionnez et gardez au frais.

- *1 petit pomelo rose ou une orange*
- *1 dose de safran en poudre*
- *10 cl d'huile d'olive*
- *Sel, poivre de Sichuan (ou un autre poivre parfumé)*

CONSEIL : Cette vinaigrette peut être utilisée sur les salades de légumes ou avec des salades de crustacés. Sa forte quantité en jus en fait une vinaigrette allégée.

Vinaigrette aux fruits de la passion

PRÉPARATION : 5 MIN

■ Coupez en deux le fruit de la passion et, dans un moulin à légumes muni d'une grille fine, récupérez le jus et les graines. Passez le tout afin de récupérer le maximum de liquide sans les graines noires. Dans un bol, mélangez le jus à l'huile puis ajoutez le sel et le poivre.

- *1 fruit de la passion*
- *10 cl d'huile d'olive*
- *Sel, poivre*

Vinaigrette balsamique

PRÉPARATION : 5 MIN

■ Déliez un peu de sel et de poivre avec le vinaigre balsamique puis ajoutez l'huile en émulsionnant à l'aide d'une fourchette.

- *2 cuil. à soupe de vinaigre balsamique*
- *6 cuil. à soupe d'huile d'olive*
- *Sel, poivre*

Confit de balsamique

CUISSON : 15 MIN

▓ Dans une casserole, versez le vinaigre et mettez sur le feu. Laissez réduire aux trois-quarts à feu doux pour obtenir un sirop. Il doit presque figer à température ambiante. Utilisez ce concentré pour décorer vos assiettes ou mettez quelques gouttes pour rehausser le goût de vos salades.

– 40 cl de vinaigre balsamique

Mayonnaise

PRÉPARATION : 15 MIN

▓ Mélangez le jaune d'œuf et la moutarde. Montez la mayonnaise au batteur électrique en versant, au fur et à mesure, l'huile. Assurez-vous que ce que vous venez de verser est complètement absorbé par l'œuf avant de reverser de l'huile. Ajoutez le jus de citron à la mayonnaise ainsi qu'un peu de sel et de poivre.

– 1 jaune d'œuf
– 1 cuil. à soupe de moutarde de Dijon
– 20 cl d'huile de pépins de raisin
– Le jus de 1/2 citron jaune non traité
– Poivre 5 baies au moulin
– Sel

Béchamel

PRÉPARATION : 5 MIN
CUISSON : 10 MIN

– 25 g de beurre
– 25 g de farine
– 30 cl de lait frais entier
– 20 cl de crème liquide
– 2 pincées de muscade
  en poudre
– Sel, poivre

▓ Dans une casserole, faites fondre le beurre avec la farine. Quand le mélange commence à dorer, versez petit à petit le lait et la crème. Portez à ébullition sans cesser de fouetter afin d'éviter les grumeaux. Si jamais il y en avait, n'hésitez pas à passer la sauce au travers d'un tamis.

▓ Assaisonnez avec du sel, du poivre et la muscade.

VARIANTE : Si vous y ajoutez 50 g de fromage râpé, vous obtiendrez une sauce Mornay.

Mousseline

PRÉPARATION : 15 MIN

– 1 œuf
– 1 cuil. à soupe
  de moutarde de Dijon
– 20 cl d'huile de pépins
  de raisin
– Le jus de 1/2 citron jaune
  non traité
– Poivre 5 baies au moulin
– Sel

▓ Cassez l'œuf et séparez le blanc du jaune. Montez le blanc en neige très ferme avec 1 pincée de sel. Dans un autre saladier, mélangez le jaune d'œuf et la moutarde. Montez la mayonnaise au batteur électrique en versant, au fur et à mesure, l'huile. Assurez-vous que ce que vous venez de verser est complètement absorbé par l'œuf avant de reverser de l'huile. Ajoutez le jus de citron à la mayonnaise ainsi qu'un peu de sel et de poivre. Terminez en ajoutant le blanc d'œuf, fouettez vigoureusement afin d'homogénéiser la sauce.

CONSEIL : Voici une mayonnaise allégée qui est tout à fait délicieuse avec les asperges, les viandes ou les poissons froids.

Aïoli

PRÉPARATION : 10 MIN

■ Épluchez et hachez l'ail. Mélangez avec le jaune d'œuf et la moutarde dans un bol. Versez, au fur et à mesure, l'huile en un mince filet et utilisez un batteur pour faire une mayonnaise. Assaisonnez.

- *1 gousse d'ail*
- *1 jaune d'œuf*
- *1 cuil. à café de moutarde de Dijon*
- *15 cl d'huile d'olive*
- *Sel, poivre*

Sauce tomate

POUR 500 G DE SAUCE
PRÉPARATION : 10 MIN
CUISSON : 20 MIN

■ Plongez les tomates 1 min dans l'eau bouillante. Épluchez-les, coupez-les en quatre et détaillez la chair en petits dés. Épluchez et hachez l'oignon et l'ail. Dans une casserole, faites chauffer l'huile. Ajoutez l'ail et l'oignon puis, laissez cuire 1 à 2 min sans cesser de remuer. Mettez alors le sucre et les tomates puis poursuivez la cuisson à feu doux 20 min. Assaisonnez avec un peu de sel et de poivre.

- *8 tomates allongées*
- *1 oignon rouge*
- *1 petite gousse d'ail*
- *1 cuil. à café de sucre*
- *3 cuil. à soupe d'huile*
- *Sel, poivre*

Crème d'amande

POUR 1 TARTE
PRÉPARATION : 10 MIN

▓ À l'aide d'une spatule en bois, mélangez le beurre, la poudre d'amandes et le sucre. Lorsque vous obtenez un mélange homogène, ajoutez les œufs jusqu'à ce que vous ayez à nouveau une crème homogène.

- *80 g de beurre à température ambiante*
- *100 g de poudre d'amandes*
- *80 g de sucre*
- *2 œufs*

Sirop à la vanille

POUR 1/2 LITRE
CUISSON : 5 MIN

▓ Coupez dans le sens de la longueur les gousses de vanille et grattez l'intérieur avec la pointe d'un couteau pour en retirer les graines. Mélangez-les avec le sucre et l'eau dans une casserole. Portez à ébullition puis laissez cuire avec les gousses et les graines 5 min. Ôtez les gousses. Utilisez froid ou chaud.

- *2 gousses de vanille*
- *300 g de sucre de canne blanc*
- *50 cl d'eau*

Des menus en plus

Du placard

Menu

Poireaux vinaigrette, œufs pochés et tuiles de parmesan *(recette p. 62)*
Salade de lentilles paysanne *(recette p. 69)*
Crêpes sucrées *(recette p. 158)*

Régressif

Menu

Œufs cocotte au fromage *(recette p. 28)* **avec des mouillettes**
Poulet farci aux coquillettes *(recette p. 84)*
Mousse au chocolat *(recette p. 162)*

Léger

Menu

Soupe de tomates au safran *(recette p. 32)*
Papillote de cabillaud *(recette p. 106)*
Salade de pêches, abricots et framboises *(recette p. 148)*

Petit budget

Menu

Soupe de légumes classique *(recette p. 38)*
Omelette au jambon et au fromage *(recette p. 24)* avec une salade
Mousse au chocolat *(recette p. 162)*

Comme en Italie

Menu

Foccacia aux *antipasti* *(recette p. 14)*
Salade d'asperges aux poivrons grillés *(recette p. 47)*
Filet mignon en cocotte lutée *(recette p. 76)*
Panna cotta *(recette p. 164)*

Pour les enfants

Menu

Tarte à la tomate et au comté *(recette p. 6)*
Poulet et potimarron rôtis *(recette p. 82)*
Bananes flambées *(recette p. 146)*

Pour une soirée amoureuse

Menu

Soupe de crevettes à la citronnelle *(recette p. 40)*
Tartare de saumon, condiment granny-smith *(recette p. 100)*
Pommes rôties aux mendiants de fruits secs *(recette p. 152)*

Comme en Asie

Menu

Soupe vietnamienne au bœuf cru *(recette p. 31)*
Salade de boeuf thaï *(recette p. 59)*
La variante citron vert-passion du gâteau orange et pavot *(recette p. 156)*

Marocain

Menu

Salade d'oignons doux, oranges et huile d'olive *(recette p. 54)*
Tajine d'agneau aux abricots *(recette p. 80)*
Salade de poires pochées aux épices et à la grenade *(recette p. 145)*

De fin de mois

Menu

Soupe de carottes au lait de coco *(recette p. 41)*
Salade de pommes de terre à la roquette *(recette p. 48)*
Crêpes sucrées *(recette p. 158)*

Qui chante le sud de la France

Menu

Tarte à la courgette, menthe et feta *(recette p. 16)*
Thon et poêlée niçoise *(recette p. 102)*
Gratin de légumes *(recette p. 132)*
Salade de pêches, abricots et framboises *(recette p. 148)*

Pour un pique-nique

Menu

Tarte aux asperges *(recette p. 17)*
Salade de haricots verts, parmesan, pignons et anchois marinés *(recette p. 58)*
Tomates confites froides *(recette p. 136)*
Quatre-quarts aux pêches *(recette p. 168)*

Fait par des enfants

Menu

Pizza à la roquette et au jambon cru *(recette p. 18)*
Salade de thon, haricots et olives violettes *(recette p. 63)*
Crumble pommes et rhubarbe *(recette p. 154)*

Pour un anniversaire

Menu

Oeufs cocotte au fromage *(recette p. 28)*
Carpaccio de thon, salade de cresson, tomates et olives *(recette p. 98)*
Moelleux au chocolat *(recette p. 160)*

Pour une soirée entre copains

Menu

Velouté de courgettes aux miettes de chèvre *(recette p. 34)*
Terrine de foies de volaille *(recette p. 92)*
Taboulé de quinoa *(recette p. 72)*
Tarte fine rustique aux pommes *(recette p. 157)*

Pour une soirée entre copines

Menu

Salade de crevettes, pois gourmands et mini-maïs *(recette p. 56)*
Colin, sauce vierge *(recette p. 108)*
Brochettes de pommes de terre et champignons au romarin *(recette p. 124)*
Crumble pommes et rhubarbe *(recette p. 154)*

En famille

Menu

Soupe de potimarron aux éclats de bleu et de noisettes *(recette p. 36)*
Rôti de bœuf à l'ancienne *(recette p. 90)*
Gratin dauphinois *(recette p. 130)*
Mousse au chocolat *(recette p. 162)*

Pour les beaux-parents

Menu

Soufflé au comté *(recette p. 26)*
Gigot pleureur *(recette p. 96)*
Bananes flambées *(recette p. 146)*

Made in USA

Menu

Salade César *(recette p. 60)*
Hamburger de saumon frais *(recette p. 104)*
Le vrai *cheesecake* *(recette p. 166)*

Tout cru

Menu

Salade de fraises, asperges, feta, tomates et mesclun *(recette p. 70)*
Carpaccio de thon, salade de cresson, tomates et olives *(recette p. 98)*
Salade de pêches, abricots et framboises *(recette p. 148)*

Épicé

Menu

Soupe de carottes au lait de coco *(recette p. 41)*
Fricassée de lotte *(recette p. 110)*
Salade de poires pochées aux épices et à la grenade *(recette p. 145)*

Express

Menu

Salade aux poires, noisettes et roquefort *(recette p. 46)*
Pâtes à la fellerini *(recette p. 113)*
Bananes flambées *(recette p. 146)*

Quelques conseils

Équivalences thermostats

Thermostat 1 (50 °C)
idéal pour sécher du pain, des fruits...
Thermostat 2 (60 à 80 °C)
idéal pour des tomates confites,
des meringues...
Thermostat 3 (90 à 110 °C)
idéal pour faire cuire très doucement
une crème caramel.
Thermostat 4 (120 à 140 °C)
la bonne température pour des
macarons ou maintenir au chaud
un plat sans qu'il ne se dessèche.
Thermostat 5 (150 à 170 °C)
une température douce pour faire cuire
des viandes blanches ou des poissons
de petites tailles sans les dessécher.
Thermostat 6 (180 à 200 °C)
la température de base pour faire
cuire tous vos gâteaux et tartes.
Thermostat 7 (200 à 220 °C) pour faire
le poulet rôti, des viandes à griller...
Thermostat 8 (230 à 260 °C)
la température pour faire cuire
un rosbif.

Thermostat 9-10 (260 à 300 °C)
pour calciner les résidus et les graisses
de votre four (à ne pas utiliser pour
des cuissons).

Des poids et des mesures

1 cuil. à café rase : 7 g de sucre, 5 g de
farine, 5 g de Maïzena, 1/2 cl d'eau,
de rhum ou de vin
1 cuil. à soupe rase : 20 g de sucre,
15 g de farine, 15 g de Maïzena,
1,5 cl d'eau, de rhum ou de vin
1 pot de yaourt bulgare plein
à ras bords : 130 g de sucre, 90 g de
farine, 90 g de Maïzena, 14 cl d'eau,
de lait, de vin
1 œuf : environ 55 g
1 jaune d'œuf : environ 25 g
1 blanc d'œuf : environ 30 g

1 journée équilibrée

Petit déjeuner
- 1 boisson chaude
- 1 produit laitier
- 1 fruit ou jus pressé maison
- 2 tranches de pain bis, complet
  légèrement beurrées et avec un peu
  de confiture

Déjeuner
- 1 crudité – comptez 100 g
- 1 viande, poisson, charcuterie maigre
  ou des œufs (prévoyez 100 à 150 g)
  accompagnée de légumes verts (150
  à 200 g) et d'un féculent (50 à 100 g)
  comme du riz, des lentilles, des pâtes,
  des pommes de terre (mais pas frites)
- 1 produit laitier
- 1 fruit

Goûter
- 1 fruit (poire, pomme, ou banane
  par exemple)
- 1 thé

Dîner
- 1 poêlée de légumes ou une soupe
- 1 salade
- 1 fruit et 1 produit laitier

Trouver le bon équilibre

Voici un exemple de menu mais sachez
que pour les adultes, il n'est pas
nécessaire de manger quotidiennement

de la viande ou du poisson. D'après
les diététiciens, 1 à 2 fois par semaine
dans un régime normal serait suffisant.

On nous a rabâché les oreilles avec
les 5 fruits et légumes FRAIS par jour
et ce n'est pas facile. Mais, sachez que
si vous y arrivez sans faire par ailleurs
des excès de viandes, d'alcools,
de fromages, de plats en sauce…
il est probable que vous aurez une
alimentation variée et équilibrée.

Les produits de l'industrie agroalimentaire
sont souvent enrichis en graisses et en
sucres, alors si vous le pouvez, faites
vous même vos gâteaux, vos lasagnes…
Vous y gagnerez en qualité, tant au
niveau du goût qu'en estime de soi.

Globalement, essayez de faire la chasse
aux matières grasses (huiles, crème
fraîche, fromages, charcuterie…) et aux
sucres. N'arrêtez pas tout, mais essayez
simplement de contrôler ces « bombes
à calories ».

Enfin, en ce qui concerne les enfants,
ils ont le droit de ne pas aimer certains
aliments, mais comme on dit à la maison :
« Tu as le droit de ne pas aimer, mais tu
n'as pas le droit de ne pas goûter ! »

Pour conclure, manger est un plaisir,
si l'on fait des écarts, ce n'est pas grave,
on corrigera plus tard. Il faut manger
pour vivre et non pas vivre pour manger.

Tableau saisonnier des fruits et légumes

	Janvier	Février	Mars	Avril
Fruits	citron niçois - clémentine - mandarine - noix - orange - poire - pomme	citron niçois - kiwi - (Sud-Ouest, Corse ou d'Italie) - orange - noix - poire - pomme	citron niçois - orange - pomme	pomme
Légumes	ail - betterave - carotte (de conservation) - céleri branche - céleri rave - choux (vert, rouge, frisé, pommé, de Bruxelles, brocoli, chou-fleur de Bretagne et du Sud-Est) - crosne - échalote - endive - mâche - navet - oignon - poireau - pomme de terre (de conservation) - potiron - salades - salsifis - topinambour	betterave - carotte (de conservation) - céleri rave - choux (chou de Bruxelles, chou-fleur, chou pommé, chou rouge, brocoli) - crosne - endive - épinards (de Provence Alpes Côte d'Azur, symphonie, polka, et jeune pousse) - fenouil - frisée - mâche - navet - poireau (d'hiver de la vallée de la Loire, de Bretagne, de Normandie, du Sud et du Nord de la France) - pomme de terre (de conservation) - potiron - rutabaga - salades - salsifis - topinambour	betterave - carotte (de conservation) - choux (chou de Bruxelles, chou-fleur, chou pommé, chou rouge, chou fleur, brocoli) - concombre - endive - épinards (jeunes pousses) - oseille - poireau - pomme de terre (de conservation) - potiron - radis - salades - salsifis - topinambour	artichaut (camus breton) - asperge - betterave - carotte (primeur) - chou fleur - concombre - cresson - endive - épinards - fève - frisée - navet (primeur) - oseille - petits pois - poivrade - pomme de terre (de conservation) - radis - salades

	Mai	Juin	Juillet	Août
Fruits	fraise - framboise - rhubarbe	abricot - amande - cerise - figue - fraise - framboise - melon - pêche	abricot - brugnon - cassis - cerise - figue (fraîche) - fraise - framboise - groseille - melon - mirabelle - mûre - myrtille - pastèque - pêche - prune	abricot - cassis - cerise - figue (fraîche) - framboise - groseille - melon (du Sud de la France et de Poitou Charentes) - mirabelle - mûre - myrtille - pêche - poire (du Sud Est, williams et docteur Guyot) - pomme - prune (reine claude, quetsche) - raisin -
Légumes	artichaut - asperge - aubergine - betterave - carotte (primeur) - chou fleur - concombre - courgette - cresson - épinards - fève - navet (primeur) - petits pois - poivrade - pourpier - pomme de terre (primeur) - radis - salades - scarole - tomate	artichaut - asperge - aubergine - betterave - carotte (primeur) - cerfeuil - ciboulette - chou fleur - concombre - coriandre - courgette (ronde de Nice ou blanche de Virginie) - épinards - estragon - fenouil - fève - haricots verts - laurier - persil - petits pois - poivron - pomme de terre (primeur) - radis - salades - thym - tomate	artichaut - aubergine - betterave - brocolis - carotte - (primeur) - chou fleur - concombre - cornichon - courgette - épinards - fenouil - fève - haricots verts - oignon blanc (frais) - petits pois - poivron - pomme de terre (primeur) - radis - salades - tomate	Ail - artichaut - aubergine - betterave - brocolis - carotte - chou fleur - concombre - courgette - fenouil - haricots verts - poivron - pomme de terre (de conservation) - salades - salsifis - tomate
	Septembre	**Octobre**	**Novembre**	**Décembre**
Fruits	figue (fraîche) - melon - mirabelle (notamment celle de Lorraine) - mûre - pêche - poire (williams, beurré-hardy, conférence) - pomme - prune - raisin (chasselas de Moissac, muscat de Hambourg)	châtaigne - coing - figue (fraîche) - noix - pêche de vigne - poire (beurré-hardy, doyenné du comice, conférence) - pomme - raisin	châtaigne - coing - datte - kaki - kiwi - noix - poire (beurré-hardy, comice, conférence) - pomme - raisin	châtaigne - clémentine - datte - kiwi - mandarine - noix - orange - pamplemousse - poire (beurré-hardy conférence) - pomme (boskoop, granny smith et reinette grise du Canada)
Légumes	artichaut - aubergine - betterave - brocolis - carotte - xhoux (chou de Bruxelles, chou fleur) - concombre - courgette - fenouil - frisée - girolle - haricots (coco paimpolais, lingot, mogette, haricot blanc) - haricot vert, poireau, poivron, pomme de terre (de conservation) - salades - salsifi - tomate	artichaut - betterave - brocolis - carotte - champignons (cèpes et bolets) - choux (chou de Bruxelles, chou fleur) - courges (courge, citrouille, potiron, potimarron...) - courgette - épinards - fenouil - haricots verts - navet - poireau - pomme de terre (de conservation) - salades - salsifis - tomate	Betterave - blette (ou bette) - carotte (de conservation) - céleri branche - céleri rave - champignons - choux (chou de Bruxelles, chou-fleur, chou rouge, chou-fleur, brocoli) - courges (courge, citrouille, potiron, potimarron...) - crosne - endive - navet - panais - poireau - poivron - pomme de terre (de conservation) - salades - salsifis -	betterave - cardon - carotte (de conservation) - champignons - choux (chou rouge, chou de Bruxelles, chou fleur) - courges (courge, citrouille, potiron, potimarron...) - endive - mâche - navet - panais - poireau - poivron - pomme de terre (de conservation) - salades - salsifis - topinambour

Vous vous êtes régalé ?
Découvrez vite le reste de la collection !

Apéros dînatoires

Chocolat, moelleux & fondants

Cocottes & cassolettes

Tiramisu, pana cotta & cheesecakes

Verrines & finger food

Macarons & gourmandises

Easy cook

Pasta, riz & risottos

Tajines & couscous

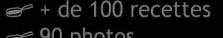
🍳 + de 100 recettes
🍳 90 photos
🍳 des conseils et des variantes

Cuisine bon marché

Cakes, tartes & salades

Cuisine minceur

Jus, smoothies & cocktails

Cuisine fraîcheur

Crumbles, tatins & clafoutis

Barbecue, plancha & croques

bon app'
à tous !

4,95 €
Seulement

Crédits photographiques :
© Alexandra Duca : pp. 11, 21, 23, 81, 91, 107, 139, 159
© Anthony Lanneretonne : p. 95
© Eric Fénot : pp. 19, 143, 161, 163
© Natacha Nikouline : p. 165
© Nathanaël Turpin-Griset : pp. 29, 37, 147
© Philippe Vaurès-Santamaria : pp.27, 33, 35, 39, 105, 131, 133
© Pierre-Louis Viel : p. 93
© Rina Nurra : p. 167
© Thomas Dhellemmes : p. 85
© Valéry Guédes : pp. 9, 61

© Bob Norris, styliste Anouk Grumbach : pp. 7, 13, 15, 25, 43, 45, 49, 51, 55, 57, 65, 67, 71, 73, 77, 79, 83, 89, 99, 101, 111, 115, 117, 121, 125, 127, 137, 149, 153, 155

La styliste remercie zarahome.com

Pour l'éditeur, le principe est d'utiliser des papiers composés de fibres naturelles, renouvelables, recyclables et fabriquées à partir de bois issus de forêts qui adoptent un système d'aménagement durable. En outre, l'éditeur attend de ses fournisseurs de papier qu'ils s'inscrivent dans une démarche de certification environnementale reconnue.

Direction : Jean-François Moruzzi
Direction éditoriale : Pierre-Jean Furet
Responsable éditoriale : Brigitte Éveno
Rédaction : Thomas Feller
Conception de la maquette intérieure et de la couverture : Marie Carette
Réalisation de la couverture : Marie Carette
Réalisation : Les PAOistes
Préparation de copie et corrections : Barbara Janssens
Fabrication : Amélie Latsch
Responsable partenariats : Sophie Morier au 01 43 92 36 82

© 2010, HACHETTE LIVRE (Hachette Pratique)
Dépôt légal : juillet 2011
23-0226-3/03
ISBN : 978-2-0123-0226-6

Imprimé en Italie par Stige.